LE VOILE
DU SILENCE

DJURA

LE VOILE
DU SILENCE

ÉDITION° 1/MICHEL LAFON

Directrice littéraire :
Huguette MAURE.

A Hervé,
et à notre fils Riwan

REMERCIEMENTS

A mes amis des deux côtés de la Méditerranée,
à tous ceux qui m'ont aidée de leur sympathie et de leur amitié,
je veux témoigner ici ma profonde reconnaissance.

Je tiens à remercier du fond du cœur Maître Isabelle Thery qui m'a chaleureusement soutenue dans mes ultimes épreuves, et sans qui ce livre n'aurait pas vu le jour.

Je rends un hommage particulier à Huguette Maure qui, avec une finesse talentueuse, a su polir mon texte tout en le respectant.

L'histoire qui va suivre est mon histoire. Jamais pourtant il ne me serait venu à l'idée d'écrire ma vie si les événements n'avaient pris une tournure tellement dramatique qu'il devenait urgent d'exorciser le passé.

Jusqu'ici, un voile de pudeur masquait délicatement les peines et les souffrances qui m'avaient été infligées. Je ne laissais paraître dans mes chants que l'espoir d'une condition meilleure pour tant de femmes dans le monde qui subissent encore le joug d'une « tradition » surannée.

Le drame qui survint, autant que les confidences reçues à la fin de mes spectacles, me fit prendre conscience que mon sort — si exceptionnel puisse-t-il paraître — était aussi, en partie, celui de milliers de filles, de sœurs ou d'épouses muettes de peur, en quête de bien-être et cependant interdites d'existence.

En acceptant de me raconter, j'ai voulu lever ce voile du silence pour que cesse un jour cette mascarade qui se réclame des coutumes ancestrales mais qui n'a plus — au sens humain du terme — aucune légitimité.

29 juin 1987, treize heures... Il fait une chaleur torride, les quais de la Seine sont déserts. D'habitude les mariniers profitent du beau temps pour repeindre leur bateau, mais aujourd'hui personne n'ose toucher aux coques trop brûlantes. Notre péniche ne bouge pas, tout respire la tranquillité.

Hervé n'a pas très faim, moi non plus. Nous nous contentons d'une salade mixte et d'un demi-ananas, dégustés dans la cale de notre maison flottante où nous venons d'aménager une sorte de cuisine-bar dans le style des années trente. Un magnifique comptoir en acajou déniché aux Puces, une banquette bleue et deux tables de bistrot forment l'essentiel du mobilier.

Je porte une robe kabyle fleurie, légère à ma grossesse. J'en suis au septième mois, je sens le bébé remuer, je savoure ce moment, je n'arrive pas à y croire. Mettre au monde l'enfant de l'homme que l'on aime ! Pour bien des femmes, cela peut paraître la chose la plus simple qui soit : pour moi, c'est déjà l'aboutissement d'une lutte, la réalisation d'un rêve que je croyais hier encore inaccessible.

A l'échographie, le médecin a dit : « Votre petit est un sauteur ! » Nous avons ri, son père et moi...

Tandis que nous terminons notre déjeuner, nous entendons vaguement des pas sur le pont. Nous n'avons pas le temps de réagir : la porte s'ouvre brutalement. Un homme armé fait irruption dans la pièce. A peine l'ai-je reconnu que son revolver est déjà sur mon ventre. D'un coup violent, il me pousse et me fait heurter le bar, puis il se jette sur Hervé qu'il matraque à coups de crosse. Une jeune fille entre à ce moment-là, saute sur moi, m'empoigne, me frappe des pieds et des poings, partout. Elle m'injurie, m'arrache les cheveux, puis s'acharne sur mon ventre, mon ventre que j'essaie de protéger comme je peux.

— Je suis enceinte ! hurlé-je.

— Et alors ? ricane-t-elle en continuant de me frapper.

La stupéfaction, l'affolement, la terreur de perdre mon enfant me coupent le souffle. Malgré mon corps lourd, je tente d'atteindre l'escalier qui mène à l'extérieur mais la furie m'en empêche férocement.

Soudain, j'entends un coup de feu. L'homme a dû tirer sur Hervé qu'il a poursuivi là-haut. Terrifiée, je cherche de nouveau à m'échapper pour sortir du bateau et appeler au secours. Mais la fille me pousse de toutes ses forces et me fait tomber dans l'escalier.

Je ne parviens pas à me relever. L'homme dégringole les marches devant moi, appelle sa complice :

— Sabine, viens vite, dépêche-toi !

Ils remontent l'escalier quatre à quatre, lui en blouson de cuir noir, elle aussi tout de noir vêtue, collants compris. Plus tard, je me demanderai pourquoi cette couleur, en pleine canicule. Est-ce pour cacher le sang qui a giclé sur eux ? Le sang se voit moins sur fond sombre...

Je n'ose pas me mettre debout. J'ai l'impression que si je me redresse, je vais accoucher tout de suite. Je me traîne, tenant mon ventre à deux mains, pour atteindre le téléphone et composer le 17, le numéro de la police. Ensuite, j'ai le courage de me relever et de me précipiter au-dehors. Une vision d'épouvante m'y attend : Hervé titube sur le quai, rouge de blessures. On croirait une bête qu'on vient de saigner, qui va mourir d'une minute à l'autre. Moi je sais déjà que, même si je parviens à sauver mon bébé, quelque chose en moi est définitivement mort, à l'instant. Ma vie a basculé le 29 juin 1987, sur la Seine, à treize heures.

Car ceux qui sont venus nous agresser ne sont autres que mon frère Djamel et ma nièce Sabine, et je n'ignore pas qu'ils l'ont fait sur ordre « familial ».

Quand je me suis réveillée, le lendemain, à l'hôpital, j'étais couverte de bleus sur le visage, les bras, les jambes. Ma nuque pesait une tonne, j'avais mal, j'avais peur. La police s'était rendue très vite sur place, découvrant une péniche-mare de sang. On m'avait transportée, administré des sédatifs.

Maintenant je luttais. Les contractions de mon utérus s'imprimaient sur le monitoring, fortes et répétées. Mon enfant ! Mon enfant en danger... Je lui parlais comme s'il était déjà né : « Tiens le coup et sois solide, mon bébé ! » Je le caressais doucement, à travers ma peau, en pensant à cette première échographie où j'avais vu sa petite main, cinq doigts tendus comme un bonjour. Un temps où je croyais démarrer une nouvelle existence, à l'abri de la vindicte ancestrale...

Aujourd'hui, mon petit était menacé, Hervé avait perdu tellement de sang que je redoutais le pire, et ma rage de vivre faisait place à un torrent de larmes.

Le médecin, une femme, me prescrivit des antispasmodiques et un repos total. Il me faudrait rester allongée jusqu'au terme de ma grossesse. Elle insistait pour que je demeure à l'hôpital, devinant que nulle part ailleurs je ne serais en sécurité.

— Mais ce n'est pas ma maison ! Et je ne peux pas me cacher comme ça éternellement ! protestai-je, désemparée.

Elle eut un sourire triste :

— Etre une femme algérienne, et chanteuse de surcroît, ce n'est pas rose, dites... Quand je vous reverrai à la télévision, je penserai à vous.

Cela me réconforta. C'était la première personne compatissante que je rencontrais depuis le drame. Mais je pleurais quand même, sans discontinuer. Sur l'absurde.

L'absurde d'une condition féminine encore moyenâgeuse pour certaines, sous des cieux occidentaux qui s'apprêtent au second millénaire. L'absurde de ces traditions qui inspirent certes ma musique et mes chants, mais que je tente d'actualiser tandis que des coutumes tenaces s'agrippent à un sens de « l'honneur » féminin criminel et désuet dont j'ai fait les frais, comme tant d'autres filles de ma race, au péril de ma vie.

Ma vie... Mon pays tant aimé, les fleurs du Djurdjura, ma famille choyée par mes soins et cependant hostile, incapable d'admettre mon amour de l'art et mon simple besoin d'exister librement. Ma vie qui, sur ce lit d'hôpital où je combattais pour sauver un petit être dont je ne voulais pas qu'il devînt une nouvelle victime, eut tout le temps de se dérouler dans mon souvenir, embrumée de violence et de pleurs, mais obstinément éclairée, aussi, de sourires et d'espoir.

« *Quand le bon Dieu éternue, il envoie des narcisses* », dit un poème de chez nous. Chaque printemps, Dieu inonde ainsi mon village natal, Ifigha, accroché telle une grappe en haut de la colline, au pied des monts du Djurdjura.

Djurdjura, *montus ferratus,* la montagne de fer comme l'ont appelée les Romains, sans doute à cause de tout ce que cette rocaille peut cacher d'orgueil, de courage, de résistance obstinée. Ce pays difficile pare sa pauvreté de paysages somptueux. Derrière ses collines, ses ravins, ses rivières, ses champs de figuiers et ses plaines où domine l'arbre de paix — l'olivier aux feuilles scintillantes —, s'abrite un peuple qui ne se soumet pas, ne plie devant personne : les Kabyles. Des Berbères...

Sous une politesse exquise et un sens aigu de l'hospitalité, ils dissimulent farouchement l'essentiel de leur âme : une dignité à toute épreuve, un respect figé des valeurs traditionnelles et un attachement viscéral à la terre des ancêtres. La Berbérie se prétend de race pure. En fait, c'est un métissage de Grecs, de Siciliens, d'Andalous, d'Africains, de Provençaux, de Turcs et autres peuples de la Méditerranée qui arrivèrent au fil des siècles par la côte, se marièrent ou violèrent les femmes de l'endroit,

17

selon le vainqueur du moment. On rencontre ici des grands aux yeux bleu clair, des petits aux yeux bruns, des sédentaires et des nomades, l'archaïsme et la modernité, l'Orient et l'Occident. Les débarquements successifs de païens, de chrétiens, de juifs et de musulmans ont fait de cette contrée une mosaïque à part, étrangement soudée contre ce qui vient d'ailleurs. Berbère et rebelle, tel est mon pays.

Berbère et rebelle comme la petite fille que je fus, l'adolescente que je devins, la femme que je suis.

Comme la reine Kahina, dont le destin évoque en moi d'étranges résonances. L'histoire raconte que son père, le roi Tabat, traita la petite Dehya (tel était alors le nom de Kahina) avec le plus grand mépris, furieux que sa femme Birzil ne lui ait pas donné un fils qui serait devenu après lui le chef des tribus berbères.

Pour conquérir l'amour de son père, Dehya partit chaque jour prier le bélier sacré de la transformer en garçon. En vain. Alors elle décida de ressembler à l'homme en s'initiant aux armes de l'époque. Son ami Zénon, un jeune Grec, lui apprit le tir à l'arc. Elle montra bientôt une telle ardeur et une telle promptitude au combat qu'à la mort du roi Tabat, le peuple la désigna pour succéder à celui-ci.

Les Kabyles d'antan savaient apprécier les plaisirs de la vie. La pudibonderie, la sévérité des lois concernant les femmes n'apparurent qu'au xixe siècle, par réaction contre l'Occident et le colonialisme. Au temps du roi Tabat, les mœurs étaient beaucoup plus libres et les filles ne se privaient pas d'un vrai libertinage. Les plus prisées étaient celles qui portaient le plus de bracelets à leurs chevilles, indiquant ainsi le nombre d'amants qu'elles avaient charmé. Dehya portait beaucoup de bracelets et, sans épouser Zénon, elle eut un enfant de lui.

Outre les guerriers de ses tribus, la nouvelle reine avait

18

formé une armée de femmes à cheval, prêtes à la suivre sans faiblir dans les batailles qu'elle menait contre l'envahisseur arabe. Son instinct et un certain don de divination l'aidaient à triompher de ses adversaires qui la surnommèrent *Kahina* : la prophétesse ou, de façon plus péjorative, la sorcière.

Le peuple des Berbères tout d'abord l'adora. Puis, sans doute nostalgique de l'autorité masculine, il l'obligea à prendre époux afin d'avoir un roi, un vrai, un homme. Kahina se vengea de cet affront en épousant le plus vieux, le plus affreux, le plus tyrannique des prétendants. Vous avez voulu un chef, le voilà !

Aussitôt, son mari se mit à faire régner la terreur, l'injustice, infligeant la misère et la soumission. Le peuple ne tarda pas à réclamer le retour de la reine. Dégoûtée par les agissements de son époux, Kahina le châtia sur la place publique. Malheureusement, elle avait eu de lui un fils qui ressemblait en tous points à son père, fourbe, cruel et dangereux.

Elle reprit néanmoins le commandement des armées, volant de victoire en victoire... Malheureusement encore, elle s'enticha d'un jeune prisonnier qu'elle adopta pour le protéger. Selon le rituel en cours, en haut de l'escalier royal, elle dégrafa sa tunique pour donner en public son sein au jeune homme, qu'elle élevait ainsi au rang de sa propre descendance. Seulement, ce jeune homme n'était autre que le neveu du grand Uqba, chef des armées arabes. Bien que reconnaissant à la Kahina de l'avoir sauvé, il n'en était pas moins résolu à massacrer les Berbères et leur sorcière bien-aimée.

Or ce fut le propre fils légitime de la reine qui lui facilita la tâche, livrant tous les secrets militaires de sa mère aux ennemis.

Kahina perdit du terrain, brûlant la terre à chaque retraite plutôt que de la laisser intacte aux mains de l'envahisseur. Peu à peu, ses guerriers l'abandonnèrent, se livrant aux cris très attendus de « *Allah Uqbar* », « Allah est grand ». Seule l'armée des femmes la soutint jusqu'au bout, avant qu'elle ne se fît tuer, laissant définitivement le champ libre à l'ennemi.

Voilà comment la Berbérie des Romains, royaume de Massinissa, de Jugurtha, puis de Kahina, devint *l'Ifrîqiya* des Arabes, nom provenant de la racine « frq », qui signifie, selon le calife Omar, division, séparation, fractionnement.

Les Arabes avaient très bien compris, semble-t-il, la nature ambiguë de ce peuple courageux et uni dans les grands moments, mais aussi déchiré par les luttes tribales, les querelles intestines, les rivalités familiales. Cela n'a pas changé, malgré Kahina l'insoumise que j'admire pour son opiniâtreté et qui m'a servi de modèle chaque fois que, comme elle, j'ai dû poursuivre mon chemin en dépit de la trahison des miens, dont je croyais pourtant avoir fait le bonheur. Kahina qui, comme moi, fut à sa naissance une source de profonde déception, parce qu'elle était une fille...

J'étais une fille, en effet, et mon village ne ferait pas la fête pour célébrer ma venue au monde. Mon village-forteresse, construit comme beaucoup de ses semblables en Kabylie, tournant le dos à l'extérieur. Mon village et ses toits de tuile, ses pierres assemblées avec de l'argile, ses chemins cahoteux.

Je le revois tel qu'il m'apparaissait dans mon enfance, à l'aube des années cinquante... Situé à plus de deux cents kilomètres au nord-est d'Alger, après la célèbre forêt de Yakouren, à environ mille mètres d'altitude, Ifigha demeure un secret. Les grandes routes le contournent, l'étranger n'y vient guère. Une large piste bordée d'eucalyptus, je m'en souviens, menait jusqu'à la place...

A gauche se dressait le bâtiment de l'armée française, devenu aujourd'hui bureau de poste. A droite, le café. J'ai gardé en mémoire l'image des hommes attablés devant un verre de thé, parfois des journées entières. Le burnous relevé sur l'épaule, ils roulaient d'une main leur moustache. De l'autre main, ils pressaient la boîte de *chema,* le tabac à chiquer, tout en conversant sur les mille rumeurs des montagnes. Quelques-uns jouaient à la rounda, un jeu de cartes espagnol très répandu en Algérie, d'autres aux dominos... Devant le café, assis par terre à l'ombre d'un arbre ou bien adossés à un mur, les anciens, enturbannés, appuyés sur un bâton de berger noueux comme leur vieillesse, exprimaient leur fatalisme désarmant en phrases brèves plus ou moins banales : « *El qarn arvâatac* », cette fin de siècle sera terrible, c'est écrit dans les livres ; ou « *Oh ! Djil n'toura !* », Oh ! les jeunes de maintenant... Ou encore tout bonnement « *Mektoub* », c'est le destin.

Non loin du café, un marchand de tout, le teint brûlé par le soleil, trônait en blouse blanche sur un tabouret bas, devant la porte de sa boutique. Un étalage de seaux, de bassines, chaussures, brocs de plastique fluorescent se répandait sur le trottoir. Sur les murs extérieurs et dans la devanture du magasin étaient suspendus des balais, pelles, tapis, couscoussiers, de la vaisselle en tôle émaillée importée de Chine ou des pays de l'Est, ainsi que des poteries de fabrication locale. On trouvait de tout, ici, de la bouteille à gaz à la semoule en passant par les épices, les légumes, les fruits, les allumettes et les bonbons. La famille de ce commerçant était propriétaire des meules et du pressoir à olives destiné à la fabrication de l'huile. Il faisait partie des notables.

Ce coin du village était généralement fréquenté par les hommes. Les femmes passaient rapidement, sans tourner

21

la tête du côté du café. Le mercredi, elles fuyaient l'endroit car c'était le jour du marché, interdit à la gent féminine. La place se trouvait alors envahie par une foule de paysans de noble allure venus faire leurs courses, échanger leurs produits et deviser. Les plus riches achetaient de la viande, qu'ils laissaient volontiers dépasser de leur couffin, par une sorte de fierté naïve. Une façon de montrer qu'ils venaient de recevoir un mandat de France et que, de l'autre côté de la Méditerranée, un fils ou un frère pensait à eux. Beaucoup de Kabyles, déjà, avaient quitté le village. On avait même baptisé Ifigha « le petit Paris », en une sorte d'hommage à tous ces émigrés partis gagner leur vie là-bas. Quand une lettre de ces chers exilés arrivait, on s'empressait de chercher quelqu'un qui pût la déchiffrer, traduire ses mots, toujours les mêmes : « J'espère que ma lettre te trouvera en bonne santé... Je t'ai envoyé un mandat... Moi, je vais bien, ne t'inquiète pas pour moi... »

Les hommes refermaient la lettre et s'en allaient la commenter à leur épouse, leurs sœurs ou leurs nièces, quand celles-ci revenaient de la corvée d'eau. La végétation est rare, ici, oliviers et figuiers mis à part. Pour manger des légumes et des fruits, il faut arroser quotidiennement le potager et, pour ce faire, aller chercher de l'eau à la fontaine, en plein centre du village. C'est là une tâche exclusivement féminine et je revois ces filles altières, cou tendu, portant leurs jarres pleines en équilibre sur la tête sans même s'aider de leurs mains.

Ces montagnardes étaient de belles plantes, au moins dans leur jeunesse, avant d'être usées de travaux. Leurs longues robes kabyles — les *tiksiwins* — coloraient le paysage autant que les narcisses et les eucalyptus. Ces tiksiwins de coton ou de satin étaient brodés de galons précieux aux épaules, aux poignets et aux bras. Pour les protéger, les campagnardes s'enveloppaient à partir

22

de la taille d'une espèce de pagne rouge et or — la *fouta* —, pendant les tâches ménagères et les travaux des champs. Sur les cheveux, elles portaient l'*amendil*, le foulard traditionnel, dans lequel elles nouaient des narcisses, autant pour leur parfum que pour ce blanc contraste qui mettait en valeur leur regard sombre, profond, oriental.

Elles se retrouvaient gaiement sur la place de la fontaine, dans leur propre marché, le marché aux femmes, troquant des bijoux, s'arrosant comme des gamines, se disputant ou cancanant au milieu des bagarres des enfants du village. Elles parlaient haut, habituées qu'elles étaient à s'appeler d'une colline à l'autre, comme j'appelais, petite, mon amie Faroudja, poussant sans le savoir mes premières vocalises : « Aaaaa — Faaarrououououououdjaaa… »

« *L'homme et la femme sont comme le soleil et la lune. Ils se voient bien, mais ne se rencontrent jamais* », dit le proverbe. Les hommes ne venaient pas plus au marché des femmes que les filles n'entraient au café, ou à la mosquée située juste en face de la fontaine. Ce qui n'empêchait pas les garçons, sur le seuil du lieu saint, de se régaler de la vision des villageoises à l'ouvrage, jetant parfois leur dévolu sur l'une d'elles, en vue d'un futur mariage. Tout cela paraissait naturel, et je n'ai vu d'abord que ce côté souriant — ou folklorique — des choses. La ségrégation des sexes, la rigueur des mœurs, la pudeur déplacée, la suprématie de l'homme pesaient pourtant lourd sur ces regards féminins que l'on dit mystérieux, sans doute parce qu'ils expriment ce que la bouche ne peut pas dire : le fardeau d'une inégalité subie dès la naissance.

Ma naissance… Un trois avril à l'aube. Quelqu'un a dit :

— C'est bien de naître le matin, elle sera courageuse et vaillante.

Ma mère se désolait : elle avait espéré un garçon.

Toutes les femmes enceintes espéraient un garçon. Et les pères, et les tantes, et le village ! Les gens attendaient les youyous, ces cris de joie qui saluent la venue au monde de l'enfant mâle. En cas de youyous, on célébrait cet heureux événement le soir même avec les tambours et les reïtas — des instruments à hanche dont le son ressemble à celui de la bombarde — et l'on distribuait à la ronde le couscous du bonheur. L'absence de youyous, au contraire, signifiait qu'une fille était née. L'accoucheuse elle-même se sentait exaspérée devant ce sexe féminin, ce « navet » comme on dit à Tlemcen, ce « cloporte » comme l'on dit à Saïda, cette « citrouille », selon les habitants de Constantine. Le père filait se consoler au café, écoutant les mots de compassion alentour : « Ne perds pas espoir ! Celui qui peut donner une fille peut bien un jour donner un garçon... » La jeune maman restait chez elle, abandonnée comme un tas de cendres froides, terrifiée à l'idée de ne pas avoir d'héritier masculin, car alors, elle risquait d'être répudiée.

Ma mère n'avait rien à craindre de ce genre car elle avait déjà eu un fils, mon frère aîné Mohand — diminutif de Mohamed. Quand le premier enfant est un garçon, l'épouse se sent comblée. Ce petit sera couvé, choyé, allaité parfois jusqu'à l'âge de cinq ans et plus ! Le jour de mon arrivée sur cette terre, ma mère donnait encore le sein à mon frère, âgé de trois ans et demi. Prit-elle ce prétexte pour ne pas m'allaiter ? Je fus la seule de ses enfants à qui elle refusa son lait. Dès le matin de ma naissance, elle m'avait rejetée. J'aurais dû m'en souvenir, plus tard, quand je fis tant de sacrifices dans l'espoir vain et puéril de gagner son amour...

Et pourtant je fus allaitée ! Et pourtant le village fit la fête, pour moi, la petite Djura, quantité négligeable jusqu'au moment où le « miracle » se produisit.

Mes parents vivaient à l'époque avec « Setsi » Fatima, « mamie » Fatima dirons-nous, la femme de mon grand-père paternel. Jeune, Setsi Fatima avait été d'une grande beauté. Un port de reine, une démarche de gazelle, de longs cheveux nattés jusqu'en bas des reins. Les bijoux qu'elle portait aux oreilles, à son cou et aux bras brillaient moins que son regard turquoise. La blancheur de sa peau faisait ressortir des tatouages parfaits. Elle respirait la santé, la noblesse, l'intelligence et cachait dans la sérénité de son visage une volonté à toute épreuve.

Or, des épreuves, elle en eut, car elle était stérile : la pire des tares dans notre société. Elle se maria plusieurs fois, appréciée de ses époux pour ses qualités innombrables, mais répudiée quand même faute de progéniture. Seul mon grand-père ne la quitta pas. Il avait été enrôlé dans l'armée française comme bien d'autres, pour combattre les Allemands, et à son retour sa femme était morte, laissant deux petits en bas âge : mon père Saïd et mon oncle Hamou. Mon grand-père avait donc cherché une nourrice pour ses fils plutôt qu'une future mère. Aussi accepta-t-il d'épouser Setsi Fatima, qui éleva Saïd et Hamou.

Tout le monde aimait Fatima et l'on s'aperçut bientôt que, à défaut de pouvoir enfanter, elle guérissait les enfants du village de leurs maux quotidiens. Un don du ciel ? Toujours est-il qu'avec ses doigts, un bout de ficelle, du sel et la foi, elle guérissait. De partout on faisait appel à sa générosité, à son habileté, à son sens maternel. Elle coupait le cordon des nouveau-nés, puis les soignait, leur inventait des jeux. Les bambins l'appelaient *Djida,* une autre façon de dire « grand-mère ».

Quand elle apprit que j'étais née — dans la tristesse générale comme il se doit —, elle éprouva, elle, la plus immense joie de son existence. Magie de l'amour maternel refoulé ? Elle eut une fantastique montée de lait et, après m'avoir gavée de la substance que ma mère me refusait, elle m'en aspergea délicatement le visage, comme le font chez nous les jeunes accouchées pour la toilette de leur bébé.

Lorsqu'ils apprirent la nouvelle, tous les gens des environs vinrent à pied ou à dos d'âne, chargés d'offrandes et de cadeaux pour saluer ce don de Dieu. Ils regardaient avec stupéfaction Fatima ouvrir sa gandoura et faire jaillir son lait. Pour eux, cette femme était devenue une sainte. Ils se prosternaient devant elle, lui demandant de guérir telle ou telle maladie, et surtout la stérilité de l'une ou de l'autre. Puis ils se bousculaient autour de mon berceau pour voir l'objet de ce prodige.

Dès lors, je devins pour tous la fille de Setsi Fatima. Je reçus d'elle *l'âânaya,* sa protection. Pendant cinq années lumineuses, nous n'allions plus nous quitter...

Nous vivions dans une grande maison familiale, la plus haut perchée d'Ifigha. Elle était faite d'un ensemble de bâtisses entourant une cour centrale en forme de patio où reposaient sous terre nos ancêtres disparus. On dit ici que pour dormir en paix, les morts doivent être enterrés sur le lieu même qui les vit naître...

Les maisonnettes qui entouraient la cour étaient autant de chambres. Mes parents occupaient l'une d'elles. Je dormais avec Setsi Fatima dans la plus grande, qui faisait également office de pièce commune. Commune est bien le mot : d'un côté l'étable où couchaient une vache et son veau, de l'autre côté le reste de l'habitat, séparé par un muret et trois marches. Au-dessus de l'étable, une mezzanine abritait les coffres, réserves de vêtements et autres provisions. En bas, la pièce « humaine » changeait de fonction selon les heures de la journée. Pièce à cuisine, pièce à couture, pièce à vivre, chambre à coucher. Le soir, on empilait les unes sur les autres de grosses couvertures de laine rayées ou à dessins géométriques, de couleurs très vives et tissées par les femmes de la famille : elles nous servaient de lit et, le matin, on les pendait sur un fil dans un coin de la pièce pour faire le ménage et vaquer librement à nos occupations diverses.

Setsi Fatima était une force de la nature. Elle partait à l'aube remplir les jarres d'eau, faire la corvée de bois, cueillir en été les figues fraîches avant que le soleil ne se lève. Je restais couchée plus tard, réveillée bientôt par la lumière du jour, ouvrant souvent les yeux sur un petit oiseau gazouillant devant la porte ouverte. Après quoi, je ne quittais plus Setsi Fatima d'une épaule.

Elle m'avait donné l'habitude, en effet, de me trimbaler partout sur son dos depuis mon plus jeune âge, contrairement à l'usage. Dans l'ensemble, ici, on ne montre pas les bébés au public avant qu'ils aient sept ou huit mois, de peur que des jaloux ne leur jettent « le mauvais œil ». Mais moi, j'avais été exhibée aux foules dès mon premier jour, alors, autant continuer ! Bientôt cependant, s'apercevant que je revenais de nos promenades avec de violents maux de tête, Setsi Fatima décida d'accrocher quelques amulettes autour de mon cou afin de me protéger.

Je devins ainsi une vraie petite princesse, choyée, dorlotée, couverte de cadeaux. Setsi Fatima faisait coudre pour moi des robes de satin blanc aux motifs de fleurs d'oranger ou de minuscules papillons, rehaussées de galons de toutes les nuances. Selon la coutume, avant de me passer la robe, elle me la faisait piétiner sur le sol en prononçant la formule kabyle rituelle : « Use-la avant qu'elle ne t'use. » Je continue d'en user, de ces robes kabyles que je porte à toutes les occasions — publiques ou privées —, et que je confectionne désormais moi-même...

Le soir, au coin du feu (les nuits d'hiver sont froides), Setsi Fatima me contait les légendes du terroir, parfois subtilement répressives, du genre : « Si tu n'es pas sage, une sorcière viendra te chercher, t'enfermera dans un sac et te jettera dans la mer. » J'y croyais d'autant plus qu'il y avait une vraie sorcière au village. Au moins l'appelait-on ainsi : *Tseryel*... Cette femme avait perdu la raison en voyant son fils mourir devant elle. Depuis elle divaguait. Elle s'arrêtait souvent sur le parterre de la mosquée, se déshabillait et se mettait à hurler. Personne n'intervenait, c'était dans l'ordre des choses. Les asiles n'existaient pas, les demeurés, les idiots, les malades mentaux de toutes sortes n'étaient pas exclus de notre société. On aimait même ces « fous errants », qu'on disait chers à Dieu.

Il n'empêche que j'avais une peur bleue de Tseryel. Dès que je tins sur mes pattes, je fis des détours incroyables afin de l'éviter. Pourtant, elle et Setsi Fatima s'entendaient bien. Un jour que je me promenais sur les épaules de ma grand-mère, Tseryel m'avait même offert du raisin que je n'avais pas osé déguster, de peur que ce ne fût du poison. Un autre jour elle s'approcha de moi, amicale, avec ses breloques qui pendaient partout, ses épingles de nourrice accrochées à sa robe, des boîtes de conserves en guise de bijoux. Elle demanda qu'on lui apporte un œuf, pour prédire mon avenir... Elle a dû se tromper : il était — paraît-il — sans histoire et radieux.

Radieuses en tout cas furent les premières révélations que j'eus, grâce à Setsi Fatima, du monde merveilleux du spectacle. On peut dire qu'elle m'a mise sur les planches à quatre ans. Oh ! pas les planches d'une scène de théâtre ! La scène naturelle des festivités kabyles. A l'époque, on ne connaissait pas la radio, là-bas, encore moins la télévision. On faisait son ambiance soi-même, en chantant, en dansant et en tapant sur des bidons. Fatima m'a légué le sens de la fête. Tout ici était prétexte à réjouissances et chacun les mettait en lumière, faisant l'acteur, le chanteur, le danseur au besoin. Nous, les enfants, mimions déjà les gestes de ces femmes vêtues comme des impératrices, fussent-elles pauvres dans la vie quotidienne.

La cérémonie qui m'a le plus marquée fut le mariage d'une de mes tantes. Un mariage rituel, beau comme une promesse, traître comme l'avenir de la jeune épousée...

Dès la veille de son hyménée, la future mariée était prise en main par des villageoises professionnelles de la beauté qui lui faisaient la peau comme de la soie, les mains et les pieds peinturlurés comme des miniatures. Le jour du mariage, on transfigurait son visage : khôl autour des yeux, fard agressif posé sur les pommettes, arcade sourcillière savamment dessinée. On frottait ses gencives avec l'*ayoussim,* une écorce de noyer qui leur donnait, ainsi qu'aux lèvres, un ton de rouge-marron sensuel et attirant.

Puis on lui faisait revêtir la robe blanche traditionnelle, encore plus brodée que d'habitude, complétée d'une seconde gandoura sans manches au plastron somptueusement décoré. Des bijoux d'émaux et d'argent enjolivaient ses bras, ses oreilles et ses chevilles. On plaçait enfin autour de son cou le collier de circonstance, fait de perles de verre jaunes, vertes, or et argent, montées sur trois ou quatre rangs. Entre les perles, des clous de girofle habilement enfilés répandaient un parfum envoûtant : le « bouquet » aphrodisiaque de toute jeune épousée. Sur la tête, de grosses broches maintenaient l'amendil à franges noires, sur lequel on posait l'autre foulard qui dissimulait le visage, découvert seulement quand la jeune fille arrivait dans la maison de son mari.

Un mari qu'elle n'avait pas choisi : les parents décidaient de son sort, comme les miens voulurent, plus tard, décider de mon établissement.

Sur le chemin de la maison conjugale, tout un cortège accompagnait la fiancée. Les hommes en burnous blanc des grandes occasions, les femmes dans leurs plus beaux atours... Les musiciens suivaient, avec leurs reïtas aux sonorités nasillardes, leurs tbels, bendirs et derboukas, autant de sortes de tambours aux sons très différents. Des coups de baroud — le fusil berbère — éclataient de partout. On lançait vers le ciel des œufs durs, comme en Europe on lance des dragées ou du riz. Les gens les rattrapaient au vol et les mangeaient en cours de route. En fin de cortège arrivaient les mulets chargés de matelas, robes, linge de maison, couvertures et tapis faits main : le trousseau de la jeune fille.

Avant d'entrer chez son mari, c'est-à-dire dans la demeure de sa belle-famille, la mariée devait enjamber un bâton, posé à terre sur le seuil de la maison. Son beau-père, ensuite, jetait ce bâton sur le toit. Si le bâton restait là-haut, c'était pour tous de bon augure : la future femme serait soumise et docile à l'envi. S'il retombait, on commençait déjà à la regarder de travers : il faudrait se méfier de cette fille.

Puis la fête débutait. On distribuait nourriture et boissons. Le *medah,* un poète populaire, complimentait l'époux, l'épouse, la mère du marié, son père, les beaux-parents et les amis dans un discours emphatique et théâtralisé que les femmes ponctuaient de cris approbateurs. On chantait et dansait à n'en plus finir. C'est de ce temps-là que j'ai gardé la nostalgie de ces voix féminines aiguës, de ces incantations acides, de ces rythmes lancinants et de ces gestes symboliques que j'ai voulu remettre en scène, ne serait-ce que pour édifier ceux qui n'ont retenu de la chorégraphie maghrébine que la touristique danse du ventre.

Les festivités duraient sept jours et sept nuits. Chacun gardait les yeux fixés sur la jeune épouse. Un vrai cérémonial accompagnait sa première corvée d'eau, les autres épouses l'assistaient, lui donnaient des conseils. La mariée changeait chaque jour de toilette, se faisant de plus en plus belle pour plaire à son époux. Puis sa véritable vie de femme commençait : elle voyait de moins en moins ses parents, devait se montrer à la hauteur de tout ce qu'on exigeait d'elle, demander à sa « reine-belle-mère » des autorisations pour ses moindres faits et gestes. Parfois elle continuait de sourire, heureuse parmi des gens compréhensifs, d'autres fois son regard s'assombrissait, et elle maudissait en secret son père et sa mère, qui l'avaient livrée à un univers hostile sans lui demander son avis.

Moi, à l'époque, j'avais quatre ou cinq ans, et je ne retenais de cette soumission officielle que le divertissement des premiers jours.

Je n'avais pas conscience, non plus, des difficultés que rencontraient mes parents. Tous deux étaient issus de familles honorables, « propriétaires terriens », disait-on. Le mot était pompeux pour quelques terrains plantés d'oliviers ou de figuiers, mais il reflétait bien la noblesse campagnarde que supposait, chez nous, cette situation.

Mon père avait même eu la chance d'être scolarisé en langue française, ce qui était un privilège alors, dix pour cent seulement des jeunes Algériens de sa génération ayant pu fréquenter l'école. Cela ne lui permit pas de trouver un travail d'appoint pour autant.

Les champs ne suffisaient plus, en effet, à notre nourriture. Ma mère venait d'avoir une autre fille, ma sœur Fatima, qu'elle voulut bien allaiter, mon frère ayant... cinq ans et demi. Mohand était déjà une sorte d'enfant terrible, gâté, capricieux, habitué à ce qu'on cède à toutes ses volontés. Trois enfants déjà... Mon père cherchait sans succès un emploi et mûrissait lentement le projet de partir pour la France.

Au début des années cinquante, la métropole encourageait vivement l'immigration qui lui fournissait une main-d'œuvre bon marché. Les Kabyles, particulièrement pauvres, s'expatriaient en masse. Un cousin ou un frère vivait-il déjà dans l'Hexagone ? Ils partaient le rejoindre, laissant femme et enfants au pays en attendant d'avoir suffisamment d'argent pour les faire venir auprès d'eux. Les femmes restées en Kabylie se lamentaient, solitaires, appelant la France « la mangeuse d'hommes ». On attendait les mandats, les lettres, les « ne t'inquiète pas pour moi, ici, tout va bien »... De · son côté l'émigré, ex « propriétaire terrien », acceptait tel un noble déchu toutes les humiliations : le marché parallèle du travail, les logements précaires, l'insécurité, la solitude pour lui aussi.

Mon père avait des cousins installés à Paris, lesquels travaillaient dans des restaurants ou des cafés-hôtels. Ils l'encouragèrent à traverser la mer et, un jour, il partit... Dès le lendemain de son départ, nous commençâmes à l'attendre. A chaque repas, sa cuiller était là, toute prête, dans le grand plat à couscous. Mais il ne venait pas et nous mangions tristement, en silence.

A vrai dire, j'étais beaucoup moins désolée que les autres. J'avais Setsi Fatima, ses promenades, ses chansons et ses rires, la première figue du matin qu'elle m'offrait en disant :

— Tiens, mange pour grandir, ô ma rose de lumière !

J'étais une petite fille brune au teint clair et aux cheveux frisés, les yeux noirs pleins de malice et de douceur, paraît-il. Setsi Fatima m'avait surnommée *Jouhjouh Henina* :

Joujou la tendresse... Je crois qu'elle m'a tout inculqué :
son courage, sa ténacité, mais aussi — peut-être hélas —
un certain fatalisme et le goût du don de soi, qui ont failli
me perdre...

Trois années passèrent, au cours desquelles mon père
revint nous voir une fois. Il nous envoyait régulièrement
de l'argent, nous écrivait, se désolait — comme les autres
émigrés — de ne pas voir grandir ses enfants. C'était une
chaîne sans fin : les hommes revenaient en Algérie pour
de courtes vacances, faisaient d'autres bébés, repartaient
travailler en France pour élever une famille de plus en plus
nombreuse et cependant quasi inconnue. Mon père n'acceptait plus cette séparation. En outre, les premiers coups
de feu de la guerre d'Algérie avaient éclaté dans les Aurès
en novembre 1954. Les maquisards se réfugiaient en
nombre dans les montagnes du Djurdjura, sur les traces de
Kahina la rebelle : nous n'étions plus en sécurité. Mon
père n'en décida que plus vite de nous faire tous venir à
Paris, quel que soit l'inconfort de son installation.

Décembre 1954... Je me souviens de mon désespoir à
l'idée de quitter Setsi Fatima. J'étais assez grande pour
mesurer ce que je laissais ici. Je perdais tout ce qui me
sécurisait. Je savais que ma mère me préférait mon frère,
et aussi la petite Fatima. Quant à mon père, je l'avais si
peu vu, finalement, que je ne le connaissais guère. Je
partais à regret, sans partager la joie de maman.

Comme toutes les femmes qui s'en allaient retrouver
leur mari en France, elle se réjouissait, en effet, s'attendant à débarquer dans un pays de cocagne. Cette légende
était d'ailleurs soigneusement entretenue par les émigrés
eux-mêmes qui, lors de leurs vacances au pays, rappor-
taient des valises remplies de cadeaux de pacotille, mais
qui faisaient illusion. Les filles d'Ifigha allaient même

jusqu'à échanger leurs satins somptueux contre de vulgaires rayonnes parisiennes, et leurs bijoux traditionnels contre des strass dénués de toute valeur et de toute beauté, mais qui brillaient et venaient d'une contrée de richesse.

Je me moquais pas mal de ce pays de luxe. Je m'en allais vers l'inconnu, j'avais peur et j'avais mal. Mal de perdre ma bienfaitrice, ma fée, ma mère véritable au sens du cœur. Je me revois encore, arrachée à ses bras tandis que, les yeux pleins de larmes, elle prononça ces mots lourds d'avenir :

— Au revoir, ma fille, va vers ton destin...

C'était la première fois que je voyais la mer. Que je « vivais » la mer, particulièrement déchaînée. Nous voyagions dans la cale du bateau, entassés comme du bétail. Tout le monde couchait par terre. Les gens vomissaient, moi aussi. La traversée se passa dans cette ambiance de corps à soubresauts rampant dans le dégueulis. Nous respirions une odeur nauséabonde, insupportable. L'arrivée à Marseille, dans la grisaille, fut une délivrance.

Mon père avait acheté pour sa femme un tailleur pied-de-poule noir et blanc. Il tenait à ce qu'elle débarque « habillée en Française ». C'était une nouveauté pour elle, qui n'avait jamais quitté la robe kabyle. Elle devait se sentir étriquée dans cette jupe droite et cette veste rétro, serrée à la taille. Moi je la regardais, tandis que nous passions par tous les tracas administratifs du débarquement, avant de prendre le train pour Paris. Je la trouvais belle, je l'aimais, je voulais qu'elle m'aime, je crois...

A Paris, gare de Lyon, nous avons pris le métro pour Belleville, afin de regagner une petite chambre d'hôtel meublé qu'habitait mon père, Faubourg-du-Temple. Nous avons vécu là près de deux ans. L'endroit était très exigu, éclairé par une fenêtre si minuscule que je la prenais pour une lucarne. De cette lucarne où nul oiseau ne venait plus saluer mon réveil, j'apercevais de grands murs, dressés partout. Le monde extérieur me déconcertait. Où étaient les champs immenses que je traversais pour aller laver le linge à la rivière avec Setsi Fatima ? Le paysage ici me paraissait factice, un décor mal planté. La rue recelait mille périls. Je n'avais jamais vu autant de voitures et de gens dehors, si pressés...

Pendant notre séjour Faubourg-du-Temple, ma mère ne sortit pratiquement jamais. Ne parlant pas un mot de français, elle n'allait même pas faire les courses. C'est une voisine qui s'en chargeait, accompagnée de sa chienne Kelly, un lévrier noir impressionnant qui mordait tout ce qui portait le moindre uniforme — facteurs, gendarmes et conducteurs d'autobus — plus quelques autres personnes, dont mon frère et ma sœur. Par bonheur, je fus épargnée.

Maman ne tarda pas à mettre au monde un autre garçon, dont elle fut évidemment très fière. La famille s'agrandissait, et la pièce semblait se rétrécir d'autant plus. Je trouvais notre mère triste, déçue, résignée. Mon père se montrait dur avec elle. Je me rappelle l'avoir vu la frapper pour la première fois un soir, parce que le dîner n'était pas prêt. Cela me bouleversa. Pourtant, en Kabylie, il n'était pas rare que les hommes lèvent la main sur leur épouse au moindre mécontentement. Mais peut-être était-ce moins visible, pour les enfants, dans nos grandes maisons basses à bâtisses dispersées.

Ici au contraire, rien ne pouvait nous échapper, à six dans une pièce. Ma mère vivait « intensément » dans ces quelques mètres carrés, le bébé, les langes, la lessive, la cuisine, le ménage, les lits de fortune dressés le soir à même le sol pour nous tous, comme là-bas, en Algérie, mais avec beaucoup moins d'espace et rien de beau à l'extérieur. Jamais, à Ifigha, je n'aurais pu imaginer vivre dans de telles conditions.

Heureusement, mon père nous avait inscrits à l'école,

Mohand et moi, ce qui nous donnait l'occasion de quitter notre tanière. Je commençais à apprendre le français, mais aussi à mesurer ma différence par rapport aux petits Parisiens. Je me sentais isolée. Je tentais, le soir, de me rapprocher de maman, qui avait autre chose à faire que de m'écouter. Papa, aidé d'une assistance sociale, avait fait une demande de relogement. Au bout de deux ans, on nous proposa d'aller habiter dans le treizième arrondissement...

***
****

57, boulevard Masséna : des baraquements en préfabriqué, humides, pas très salubres. Les services sociaux nous avaient expliqué que c'était là une « cité d'urgence », un hébergement provisoire en attendant mieux. Ce provisoire allait durer pour nous huit ans, mais il ne fallait pas se plaindre : d'autres émigrés vivaient dans des bidonvilles beaucoup plus misérables. Nous avions l'eau courante, l'électricité, deux pièces assez grandes : le luxe !

Les baraquements se trouvaient répartis en trois corps de bâtiments parallèles, le tout entouré d'un grillage, comme au zoo. Nos voisins immédiats étaient à droite des Noirs musulmans charmants et sans histoires, et à gauche la concierge de la cité — une Française —, son mari et ses deux enfants. D'autres sous-prolétaires français avaient trouvé asile ici : les Nono, qui avaient construit une sorte de cabanon avec des bidons et des morceaux de bois pour agrandir leur appartement et abriter leur trop nombreuse progéniture ; Mimi et Lulu, les deux naines, qui passaient leur temps à boire du vin rouge dans des bouteilles étoilées. Leur maison était toujours pleine d'ivrognes comme elles et, la nuit, les disputes éclataient. Nous fermions alors portes et fenêtres car les bouteilles valsaient à l'extérieur, ainsi que la vaisselle et tout ce qui leur

37

passait sous la main. Ils se battaient comme des chiffon-
niers mais, le matin, ils étaient à nouveau amis et
recommençaient à boire... Lulu avait une fille, Micky, une
blonde platinée à la bouche vermillon, qui jouait les
Marilyn Monroe dans sa jupe moulante et exerçait, je
crois, le plus vieux métier du monde.

Les Russes se montraient beaucoup plus discrets. Ils
vivaient au bout du troisième bâtiment, un peu à l'écart.
Un père et ses deux enfants, fous de musique classique et
relativement cultivés. Comment étaient-ils arrivés ici ? Je
l'ignore.

La cité restait quand même en majeure partie peuplée
de Maghrébins. Halima, l'Oranaise dont le mari, tout
petit, ne bronchait pas et qui était bien la seule à faire la loi
chez elle... Mon amie Fanny, dans la première allée : sa
maman avait des allures de star, toujours pomponnée, les
cheveux courts de bonne coupe, des manières raffinées.
Tout le monde la prenait pour une Parisienne des beaux
quartiers, d'autant que son français était impeccable, sans
l'ombre d'un accent. Il est vrai qu'elle vivait en France
depuis plus de trente ans. Pour moi, Fanny et les femmes
de sa famille représentaient l'élite de notre microcosme.
Ce n'était pas l'avis des autres musulmans de l'endroit, qui
trouvaient ces dames trop sophistiquées : la coquetterie et
l'élégance occidentales, pour eux, restaient synonymes de
dévergondage.

Les mœurs n'avaient guère évolué, en effet, et les
femmes demeuraient sous le joug masculin, plus ou moins
sévère. Non loin de chez Fanny, un Tunisien empêchait
carrément son épouse de mettre le nez dehors. On
apercevait parfois la pauvre à sa fenêtre, rêveuse comme
une prisonnière... Abdallah, le père de Khalima — une
autre de mes amies — avait ramené d'Algérie, après la
mort de sa femme, une jeune fille de dix-huit ans qu'il
avait épousée. Il frisait la soixantaine. Son fils du premier

lit, Bachir, avait l'âge de sa belle-mère et l'on jasait beaucoup sur cette fille discrète, égarée dans un lit d'un autre âge. De plus, Abdallah semblait complètement toqué : chaque matin, en guise de bonjour, il mordait sa fille Khalima à la cuisse, comme ça, hardiment mais avec gentillesse, allez savoir pourquoi... Aïssa, un Kabyle alcoolique et désœuvré, frappait régulièrement sa moitié, qui s'enfuyait de chez elle en hurlant. Il la poursuivait alors, une hache à la main, aux cris de « *Din ou qavach !* » : Au nom de la hache ! Il finit par lui fracasser le crâne... Amokrane non plus n'était pas tendre avec les siens. Son arme à lui c'était la ceinture, et l'on entendait chaque soir des cris de douleur s'échapper de ses murs.

Il est vrai que presque tous les enfants maghrébins semblaient habitués à subir la violente autorité du père. Nous n'échappions pas à la règle sauf que moi, je ne m'habituais pas. Nous étions l'une des familles les plus honorables de la cité : je ne comprenais pas cette brutalité indigne. Nos parents nous élevaient toutefois du mieux qu'ils le pouvaient et se montraient très attentifs aux études primaires des garçons comme des filles. Mais à la moindre mauvaise note, on recevait des corrections magistrales. Les réactions de mon père me terrifiaient. Quand mon carnet de classe était médiocre, j'en faisais pipi dans ma culotte de frayeur !

Je crois pourtant qu'il m'aimait bien. Il lui arrivait de nous rapporter de superbes cadeaux, à ma sœur et à moi, comme ce magnifique tailleur écossais que je reçus une année pour la fête du mouton, tandis que Fatima se voyait gratifiée d'une ravissante robe saumon. Cela dit, les moments de tendresse étaient rares : sans doute étions-nous trop nombreux. Deux marques d'attention seulement me restent en mémoire : la douche que mon père m'a donnée, un matin, dans une grande bassine d'eau placée sur les toilettes à la turque, avec force éclats de rire ; et les bonbons qu'il m'a offerts un soir pour me faire oublier la rage de dents qui me clouait au lit. Pour un peu, j'aurais eu mal aux dents tous les jours...

Ma mère, telle toutes les Algériennes de sa génération, supportait son mari comme on lui avait ordonné de le faire. Elle non plus n'avait pas choisi son époux. Elle s'était même enfuie plusieurs fois du domicile conjugal, dans sa jeunesse, bientôt ramenée de force au bercail. A la naissance de Mohand, elle n'avait plus bougé. Les grossesses s'étaient succédé. En 1956, elle en était à la cinquième. Elle a eu au total neuf enfants, cinq garçons et quatre filles.

Nous étions tous des familles très nombreuses, de huit, dix ou même quinze petits. Quand les gens de l'extérieur nous demandaient combien nous étions, nous évitions de dire la vérité. Dès que nous annoncions le chiffre, en effet, il n'était pas rare que l'on nous réponde méchamment :

— Vos mères sont de vraies lapines ! Elles n'arrêtent pas d'avoir des mômes qu'elles sont incapables de nourrir.

Mais que pouvaient-elles faire, les « lapines » ? La pilule n'existait pas. Aurait-elle existé que les maris n'en auraient pas voulu. Leurs enfants, c'était leur capital. Ils pensaient que plus tard ils travailleraient pour eux, puisque eux-mêmes continuaient d'entretenir leurs parents. La progéniture, dans notre tradition, restait « ce que Dieu nous a donné » : une fatalité divine en même temps qu'un investissement pour les vieux jours. Comment les Français auraient-ils pu comprendre cela ?

De toute façon, pour les Français, il n'y avait rien à comprendre. Nous étions pauvres, miséreux, des gens à part et à ne pas fréquenter. « Affreux, sales et méchants », comme dans le film d'Ettore Scola, méprisés de l'extérieur tels de mauvais sauvages. Dans l'immeuble « parisien » qui dominait la cité, les locataires étaient constamment aux fenêtres, regardant cette cour des miracles comme ils seraient allés au spectacle. Ils appelaient cela le cinéma gratuit, jubilant à l'idée des prochaines séances, riant de nous voir nous écharper entre nous, les Arabes, les ratons. « La Famille du Raton », disais-je en parodiant le titre d'un feuilleton radiophonique du moment. Nous apprenions ainsi ce qu'étaient les classes sociales, rassurés d'une certaine manière : nous ne pouvions guère tomber plus bas.

Cette différence humiliante fit naître une réelle solidarité entre nous. Nous partagions notre solitude, si différents fussions-nous les uns des autres. Nous nous rendions visite mutuellement, célébrant ensemble les jours de fête, chacun apportant des gâteaux ou autre nourriture. La vie nous apprenait à nous débrouiller, à ne pas être bêtes, et à ne baisser ni les bras ni la tête : nous étions fiers ! On se demande bien de quoi, mais nous gardions notre dignité, malgré notre folklore. La guerre d'Algérie resserrait nos liens, ranimant chez les émigrés un sentiment d'espoir naïf, comme si leur condition allait se transformer, miraculeusement, le jour où ils auraient conquis leur indépendance.

Dans mon esprit d'enfant, cette guerre ne signifiait rien de très net, sinon une révolte instinctive contre l'injustice, contre notre misère et notre mise à l'écart. Quant à l'indépendance, du haut de mes presque sept ans je luttais déjà pour la mienne, sans le savoir. J'avais formé une bande de petits camarades, bien soudée, bien solide, dont j'étais le chef. Entre nous, comme les adultes, nous parlions un curieux sabir fait de mots arabes, kabyles et français. Je dirigeais les jeux, jamais méchants. Je me prenais pour Kahina, dont Setsi Fatima m'avait conté l'histoire. La rue était notre domaine. Tant que je fus petite, mes parents me laissèrent volontiers batifoler dehors : ça faisait de la place à la maison. Ce qui ne signifie pas que je n'étais pas surveillée : mon frère aîné se chargeait de me faire marcher droit. D'ailleurs, même les cadets se trouvaient investis de pouvoirs sur nous, les filles. On voyait des mères tendre un bâton à leur benjamin pour lui permettre de battre sa grande sœur, d'autres maintenaient la gamine courbée pendant que les justiciers fraternels accomplissaient leur tâche punitive. Ces femmes, qui pourtant avaient eu à souffrir elles-mêmes de cette situation, perpétuaient la coutume, incitant leurs fils à inspirer de la crainte au sexe féminin, développant leur violence, leur « virilité », pour en faire des « hommes ». Pour que tu sois *izem,* mon fils : un lion.

Mohand profitait largement de son droit d'aînesse. Il me frappait devant les camarades de ma bande, ce qui m'humiliait particulièrement, on s'en doute. Parfois, il me renvoyait brutalement à la maison, me poursuivant à coups de pied. Un soir, j'ai dû me sauver de chez moi par la fenêtre et attendre le retour de mon père cachée à l'extérieur : Mohand en furie voulait me casser une bouteille sur la tête. Mais ni mon père ni ma mère ne lui donnèrent tort : c'est moi qui fus punie. Nous étions élevées dans le respect de l'aîné, il avait toujours raison, quoi qu'il arrive. Mon frère, sans qu'il eût un geste à faire, me remplissait de terreur. Il suffisait qu'il me fustige de son regard noir pour que je me taise ou prenne la fuite. Je me vengeais en exerçant mon pouvoir ailleurs, chez mes copains.

A part Mohand, en effet, aucun garçon ne me faisait peur, à l'époque. Ni les gamins de ma bande, ni les petits Parisiens qui refaisaient la guerre d'Algérie à la porte de l'école. Ils nous montraient du doigt en criant :

— Voici l'Algérie française !

Nous répondions d'un pied de nez :

— Nous sommes l'Algérie algérienne !

Et nous foncions dans le tas, réglant nos comptes d'enfants avec un semblant de conscience politique qui n'était autre que le défoulement de nos énergies, et de notre rébellion contre la pauvreté.

Cependant, nous parlions de moins en moins souvent arabe ou kabyle, nous allions regarder des films de cape et d'épée chez la seule voisine qui possédait la télévision, et quand nous nous mesurions les uns aux autres entre nous, les petits « ratons », avec des bâtons qui nous tenaient lieu d'épées, nous étions Fanfan la Tulipe, les Chevaliers de la Table Ronde ou les Trois Mousquetaires. Adieu Kahina, les sorcières des montagnes kabyles, les légendes du Djurdjura : nous avions changé de héros et tandis que nos oncles, là-bas, repoussaient la France pour devenir totalement algériens, nous, les enfants nés en Algérie mais qui vivions en France, nous devenions de plus en plus français.

A Paris aussi, nos parents s'occupaient de la guerre. Mon père faisait partie du FLN — le Front de Libération Nationale algérien — dont il était un militant fidèle, comme beaucoup d'autres hommes de la cité. Cela nous valut, dès l'année 1957, de connaître les perquisitions, les rafles, les ratonnades, l'insécurité permanente.

Jusqu'ici, mon père avait été associé avec ses cousins dans plusieurs cafés algériens. Mais ces lieux étant réputés être des fiefs de la résistance, il préféra s'en éloigner pour ne pas être repéré et se fit embaucher comme ouvrier chez Renault. Il militait de plus en plus, ainsi que mes oncles maternels qui étaient venus vivre avec nous. On attendait le soir avec impatience, redoutant qu'ils ne rentrent pas. Les membres du FLN étaient dûment surveillés, appréhendés, emprisonnés. Certains disparaissaient purement et simplement. Leurs corps, disait-on, avaient été jetés dans la Seine.

Mon père, lui, fut arrêté en 1959 sur la chaîne de chez

Renault, où l'on vint lui enfiler les menottes à la suite d'une dénonciation. Il passa quelques mois à la prison de Fresnes sans être jugé, puis fut transféré au camp du Larzac, où nous allions le voir en prenant la « micheline ». Lors de nos visites, nous étions fouillés, les affaires que nous apportions se trouvaient minutieusement vérifiées, tout cadeau-nourriture demeurant interdit. J'étais désespérée de voir papa dans cet endroit pitoyable. Puis je fus désespérée de ne plus le voir du tout, car les visites furent supprimées.

Quelques mois plus tard, nous avons appris qu'il avait été expédié en Algérie, dans sa propre maison, en résidence surveillée, comme d'autres prisonniers politiques. Il allait rester là trois ans.

Ma mère reçut un peu d'argent du parti FLN pour nous élever, mes oncles assurant le reste des frais, selon une loi tacite d'assistance familiale que tout le monde respectait dans nos vastes tribus. L'absence de mon père allait considérablement changer l'existence de sa femme. Elle acquit enfin une certaine autonomie. Elle apprenait peu à peu le français, allait faire son marché avec les autres habitantes de la cité. Pour les formalités administratives, elle se servait de moi comme interprète, les termes juridiques la rebutant encore. Ces démarches auprès de la Sécurité sociale, des Allocations familiales et autres services publics se révélaient plus que pénibles. Il y avait toujours un papier mal rempli ou qui faisait défaut. J'étais bien sûr chargée de toutes ces écritures — et même des signatures —, ma mère ne sachant pas écrire. On nous faisait revenir et revenir au lieu de régler chaque dossier une fois pour toutes et nous perdions des journées entières à faire la queue, attendant qu'on appelle notre numéro. Quand notre tour arrivait, les employés derrière les guichets nous recevaient froidement, chipotant sur d'infimes détails, et pendant ce temps-là, je pensais que je manquais l'école.

Mon père nous écrivait régulièrement, recommandant à son épouse d'être sérieuse. Etait-il jaloux ? Personne n'aurait imaginé ma mère avec un autre homme, pourtant ! Au contraire, des cousins et amis prétendaient que papa ne se privait pas d'aventures, au pays. Tout ceci était suggéré à demi-mot, me laissant perplexe vu mon jeune âge.

Sans équivoque en revanche fut le retour de mon père à Paris, tout de suite après le cessez-le-feu algérien. Etaient-ce les séquelles de son emprisonnement puis de son exil, ou cette longue séparation, ou plutôt la relative émancipation de ma mère ? Il devint agressif, beaucoup plus violent que par le passé, soupçonneux à l'égard de sa femme. Finalement il se mit à boire et notre calvaire commença.

Quand il était ivre, il entrait dans des colères affreuses et frappait ma mère aveuglément. Personne ne le reconnaissait. Bien qu'il eût toujours été dur, c'était — avant qu'il ne s'adonne à l'alcool — un homme respectable et bon. Désormais, toutes les occasions lui étaient propices pour s'en prendre à maman, que je défendais malgré mes douze ans et le fait qu'elle manifestait peu d'affection pour moi. Je recevais alors à mon tour des volées sans pareilles, mon frère Mohand étant épargné, les enfants plus jeunes également. Nous n'étions tranquilles que dans la journée, papa travaillant comme cheminot à la gare.

Mais dans la journée, je devais assister ma mère, avant et après l'école, ou parfois... pendant. Elle était à nouveau enceinte, le fait que le ménage aille mal ne changeant rien au rythme des grossesses, interrompu seulement pendant le séjour de mon père en Kabylie. Je subissais le sort de toutes les filles aînées de la cité sur lesquelles les mères, épuisées par des maternités successives, se déchargeaient de leurs tâches. J'aidais à la vaisselle, j'apprenais la couture, le repassage, je faisais bouillir le linge dans d'énormes lessiveuses en métal, remplies d'eau et de savon de Marseille. Il fallait faire très attention de ne pas se brûler, surtout vu ma petite taille, mais j'avais l'habitude... Je lavais même les couvertures, les savonnant puis les piétinant sur le sol pour en faire sortir la poussière, à la façon kabyle. Ensuite, avec ma sœur Fatima, nous les prenions chacune par un bout et nous les essorions en les tordant comme des tresses.

Comme les autres « grandes sœurs » des environs, je préparais les biberons, changeais les couches, je faisais faire « areu-areu » à tous les petits de la maisonnée. Nos mères mettaient au monde les bébés et nous les élevions. Vu que l'on s'attache en fonction de ce qu'on donne, j'aimais mes jeunes frères et sœurs comme mes propres enfants. D'ailleurs j'aimais tout le monde, sans doute par un besoin de tendresse inassouvi. Mon père, je lui reprochais de se montrer brutal, mais je le chérissais quand même ; Mohand, d'une certaine manière, m'inspirait confiance malgré ses allures de pacha ; ma mère, je l'adorais, je ne pouvais pas croire qu'elle ne tenait pas à moi, je ne supportais pas son sort, je voulais la protéger, travailler pour elle plus tard, la sortir de là. A treize ans à peine, ces projets trottaient dans ma tête.

Le moment le plus difficile de l'année était bien sûr le mois du Ramadan, où le jeûne accentuait la fatigue. Dès ma dixième année, je m'y étais exercée, d'abord deux jours par semaine, le jeudi et le dimanche quand je n'allais pas en classe, puis quotidiennement. Nos parents restaient attachés aux règles de l'Islam, dans la mesure du possible. Mes frères étaient tous circoncis, les filles et les femmes dépendantes, mais nous mangions du porc, car à la cantine il n'y avait pas souvent d'autre viande, en tout cas jamais de viande kasher. Pour ma part, j'avais déjà du mal à me situer par rapport aux diverses religions. Je venais de faire un court séjour en préventorium, à Cannes, pour un problème bénin qui demandait du soleil et du repos. Ce préventorium était tenu par des religieuses catholiques à qui mon père avait vivement recommandé de me dispenser de toute pratique chrétienne. Elles avaient accepté, mais cela ne m'avait pas empêchée d'entendre les autres pensionnaires réciter le « Notre Père » et le « Je vous salue, Marie » à longueur de journée, de sorte que moi aussi je connaissais ces prières par cœur. Depuis, le soir avant de m'endormir, quand je demandais au ciel d'améliorer notre existence, je m'adressais tantôt à Allah, tantôt à Jésus. J'ai gardé de ces rapports enfantins avec l'au-delà une spiritualité très forte, mais un certain recul vis-à-vis des cultes et des rites.

Il y avait pourtant un rite que j'affectionnais particulièrement, c'était la fête de l'Aïd, quarante jours après la fin du Ramadan, fête qui commémorait le sacrifice d'Abraham : le sacrifice du mouton. C'était peut-être désormais la seule éclaircie dans notre ciel d'orage. Les femmes préparaient des gâteaux, on chantait, on dansait, je voyais ma mère retrouver les rires d'antan, ceux de la fontaine d'Ifigha, en échangeant avec ses cousines les nouvelles du pays ou en racontant les péripéties de la vie de la cité. Mon père se montrait plus détendu ce jour-là, et plus sobre. Nous, les jeunes demoiselles à peine sorties de l'enfance, nous avions passé des semaines à préparer nos robes de cérémonie. J'appréciais les jolies toilettes. Une tante couturière contribuait à développer cette coquetterie, nous confectionnant à mes sœurs et à moi des robes à volants très à la mode à cette époque.

Même en dehors des fêtes, j'adorais me déguiser en

47

cachette de mes parents. Quand ma mère s'était absentée, je me jetais sur un carton rempli de chiffons et de fripes ramassées au marché aux Puces et je m'en accoutrais tant bien que mal. Je me régalais pour pas cher de vieilles robes de satin bleu, de collerettes à la Catherine de Médicis, d'antiques habits de marquis tout en loques, avec des dentelles blanches et des rubans soyeux. J'aimais par-dessus tout les chapeaux et les chaussures, les grandes traînes et les voiles sur la tête. Je jouais « à la reine » avec les frères et sœurs que maman m'avait chargée de garder, puis j'abandonnais la représentation pour m'acquitter des corvées habituelles, ma mère se montrant très exigeante et, malgré mes efforts et mon dévouement, jamais contente de ce que j'avais fait.

Il faut dire que la vie qu'elle menait durcissait son caractère de jour en jour. Rien n'avait changé, chez nous. Ah, si ! l'Algérie était indépendante... Nous avions célébré cette libération le 5 juillet 1962 dans une liesse incomparable. Nous étions tous vêtus de vert, de blanc et de rouge, aux couleurs du drapeau algérien. Les youyous de la joie résonnaient de tous côtés dans la cité d'urgence. J'avais retrouvé, l'espace d'une journée, l'ambiance des grandes fêtes kabyles de mon enfance, puis aussitôt après les tourmentes habituelles. Les scènes se multipliaient entre mes parents, d'autant plus fréquentes que ma mère essayait dérisoirement de se rebiffer. Je crois même qu'elle avait tenté d'interrompre une grossesse, sans succès... Quoi qu'elle fît, d'ailleurs, mon père l'attrapait par les cheveux, la faisait tournoyer par terre, je volais dans leurs jambes pour les séparer, ramassant les coups perdus. Quand j'étais assise, le lendemain, sur les bancs de la classe, je revoyais ces images d'horreur et je passais des récréations entières, assise dans un coin de la cour, à pleurer.

Pourtant, à l'école primaire de la porte d'Ivry, je

travaillais bien. J'étais soliste dans la chorale, je récoltais d'excellentes notes dans toutes les matières et mes maîtresses me donnaient en exemple à mes petites camarades. J'aimais beaucoup toutes mes maîtresses, sauf peut-être celle qui nous enseignait l'Histoire, à cause d'un détail qui n'avait pas passé. Elle nous avait appris, en effet, comment les Français avaient arrêtés les Arabes à Poitiers, en l'an 732, et elle avait cru bon d'ajouter :

— Heureusement qu'il y a eu Charles Martel car, sans lui, nous serions aujourd'hui toutes voilées.

Moi qui me rebellais déjà contre la soumission et l'anonymat des femmes de nos familles, j'aurais dû être contente de cette pointe d'humour mais non : je me sentis blessée, sûre que cette dame nous tenait pour des ennemis héréditaires, nous les descendants des envahisseurs commandés par Abd al-Rahmân.

Malgré cette légère contrariété, j'avais brûlé les étapes en Histoire comme dans les autres disciplines et j'étais arrivée en sixième avec un an d'avance. Il avait même fallu, pour cela, demander une dérogation.

Je me rendais donc désormais au lycée. Je me sentais très fière, et plutôt soulagée. Plus j'allais étudier, plus je vivrais loin de cet enfer qu'était maintenant la maison. Désormais, j'étais une grande !

Hélas... Car en grandissant, j'étais devenue pubère. Donc suspecte.

Une fille, disent les Kabyles, c'est une épine dans le pied, un pieu dans le dos de son père et de ses frères. Une source d'inquiétude et d'ennuis permanents, en somme, qui nécessite une éducation stricte, dont la mère doit se charger en multipliant les interdits au fur et à mesure que la petite avance en âge. Si la jeune enfant pleure devant tant de contraintes, personne n'ira la consoler. Il lui faut apprendre à subir, à être docile, à se maîtriser.

Maîtriser son corps, déjà. Marcher sans courir, porter des robes longues recouvrant ses mollets, ramasser chastement ses jupes afin de cacher ses jambes quand elle s'asseoit, et ne jamais s'asseoir face à un homme. Cacher ses bras, aussi, et ses cheveux qui sont un objet de désir : ne pas les dénouer, ni les coiffer devant une personne du sexe opposé.

Maîtriser son enthousiasme aussi bien que sa gourmandise. Parler avec retenue, manger peu et surtout ne pas commencer à manger à table la première. Réprimer ses tentations de paresse : apprendre toutes les besognes ménagères dès l'enfance, travailler en silence, balayer accroupie, à reculons, en tournant le dos aux hommes. Ne pas attendre le moindre remerciement pour ces tâches, si lourdes soient-elles, mais se montrer au contraire reconnaissante vis-à-vis de ses parents qui lui enseignent ainsi son futur métier de femme.

Maîtriser surtout ses élans de coquetterie, de provocation sensuelle, de sexualité. Baisser les yeux devant les garçons, ne pas leur sourire, éviter de leur adresser la parole, leur céder le passage et le bon côté du chemin. Dès la puberté de sa fille, la mère de celle-ci lui explique qu'elle se trouve désormais en danger masculin perpétuel, et que sa propre nature féminine représente un danger pour elle-même. Plus elle grandira, plus elle devra lutter contre ses attirances sentimentales et bannir tout émoi corporel. Elle a été mise au monde pour se marier selon le choix de ses parents, et pour faire des enfants à son tour. Si l'élu ne lui plaît pas, elle n'aura pas le droit de le refuser. Le célibat n'est pas envisageable : « Pour une fille, il n'y a que le mariage ou la tombe », dit un proverbe chaouia. Or, au mariage, elle doit arriver vierge, sous peine de se voir renvoyer par son époux chez ses parents qui, déshonorés, devront la tuer, en l'étranglant, en lui administrant du poison ou de tout autre manière.

Comment pouvais-je imaginer, à treize ans et en France, que je subirais cette loi jusqu'au bout, ou presque ? Car enfin, ces principes étaient ceux de la Kabylie ancestrale. A Paris, ces obligations surannées semblaient avoir perdu de leur rigueur. Il nous fallait bien adresser la parole aux hommes, ne serait-ce que pour faire nos courses ou acheter un ticket d'autobus et, dans la rue, aucune fille n'aurait eu l'idée de s'effacer devant tous les passants masculins ni de regarder ses chaussures quand elle croisait l'un d'eux.

A la maison, cependant, je devais filer doux devant mon père et devant Mohand, dont l'attitude à mon égard devenait de plus en plus ombrageuse. Il avait maintenant dix-sept ans, moi treize ans et demi. J'étais une jeune fille, et cette métamorphose, je crois, le troublait étrangement : il la ressentait comme une injure. Il veillait jalousement sur moi, m'interdisant toute sortie, hors l'aller-retour « lycée ». Il n'hésitait pas à me frapper quand je rentrais en retard à la maison, refusait que je m'amuse avec mon ancienne « bande », m'interdisait de porter des vêtements à la mode. Parfois, dans un subit revirement de gentillesse, il jouait les bons grands frères, s'adressant à moi avec le sourire, m'offrant un petit cadeau, m'accompagnant au cinéma où je n'aurais jamais pu aller seule. Mais qu'un garçon s'approche de moi et il devenait fou furieux, archaïque et vengeur comme s'il se sentait responsable de toute la vertu de l'Islam.

Dieu sait pourtant que ma vertu n'était pas en danger à l'époque ! Non seulement j'étais trop jeune pour songer au moindre flirt, mais je m'étais même juré de ne jamais me marier, oubliant que cela aussi se trouvait interdit. Dans mon esprit les hommes étaient tous des tyrans et je m'étais promis qu'après mon père et Mohand, aucun d'eux ne lèverait la main sur moi.

D'ailleurs, j'avais d'autres urgences que les amourettes de l'âge tendre : les nuits blanches passées à rassurer mes cadets quand ma mère s'enfuyait de chez nous pour se réfugier chez une voisine ; les sévices de mon père qui dans ce cas reportait son délire alcoolique sur moi ; les travaux domestiques en tous genres ; le lycée où je voulais continuer de m'instruire.

Seulement au lycée, j'avais le loisir de comparer le sort des filles de mon pays avec celui des petites Françaises, moins brimées, plus épanouies, plus libres. Même si dans ces années-là elles ne jetaient pas encore leur bonnet par-dessus les moulins au sortir de la communale, elles étaient mieux respectées que nous, mieux traitées en tant qu'êtres humains. Par rapport à elles, je me sentais diminuée,

53

prisonnière, moyenâgeuse. La rébellion grondait en moi, comme chez presque toutes mes compagnes maghrébines. Je sais bien, avec le recul, que nous ne saurions en vouloir à nos parents qui avaient été élevés dans les traditions qu'ils nous imposaient. L'idéal, pour eux, demeurait d'établir leurs fils dans de bons métiers, de marier leurs filles dans le respect des lois antiques, puis d'aller terminer leurs jours dans leur pays, leur devoir accompli. Sans doute percevaient-ils vaguement la fragilité de leur attachement au passé, sans doute souffraient-ils de ce que leur monde d'autrefois basculât. Peut-être même est-ce la raison pour laquelle mon père, désemparé, sombra dans l'alcoolisme : c'est en tout cas pour cela que je m'efforce de lui pardonner, depuis qu'il n'est plus... Mais nous, les petites jeunes filles du début des années soixante, nous avions sous les yeux des modèles de vie plus séduisants que ceux de nos pères et mères, qui nous attiraient comme autant d'aimants. Ainsi nous préparions-nous sans le savoir à un conflit de cultures et de générations qui allait faire beaucoup plus de victimes que les Français ne pouvaient — et ne peuvent encore — l'imaginer.

Cela dit, j'avais beau me prendre pour Kahina la rebelle, à la maison je ne bougeais pas, j'avais trop peur. Je réservais mon agressivité au lycée.

— Elle est née révoltée ! disait mon professeur de français.

Je récoltais des zéros de conduite partout, sauf au cours d'anglais de Miss Filleul, parce que si moi j'étais née insoumise, Miss Filleul avait dû naître trop peu autoritaire et tout le monde en profitait. Ses cours étaient une récréation générale, personne ne l'écoutait. Elle avait donc besoin d'être défendue. Retrouvant mon âme de chef, j'imposais le silence alentour. Aussi, pour me récompenser de ma précieuse assistance, me donnait-elle régulièrement des 20 de conduite qui déroutaient complètement la directrice du lycée.

— Vous avez vraiment l'esprit de contradiction, Djura, s'étonnait-elle. Vous vous montrez d'une sagesse exemplaire dans les cours où tout le monde chahute, et d'une indiscipline totale là où vos camarades sont sages comme des images. Pourquoi ?

Pourquoi ? Parce que je n'aimais ni l'injustice que l'on faisait à Miss Filleul, ni la férule trop dure des professeurs sévères. Parce que je ne pouvais pas obéir partout, la maison suffisait. J'avais besoin de me défouler, de provoquer. Un jour, par exemple, la directrice me demanda ce que je voulais faire plus tard. La tête pleine des images lamentables et burlesques de notre belle cité d'urgence, je répondis avec autant d'ironie que d'insolence :

— Je serai clocharde !

Hors d'elle, la dame convoqua mon père et lui fit part de mon comportement.

— Je ne comprends pas, répondit mon père. Ma fille ne bronche pas, chez moi. Faites donc ce qu'il faut pour que ce soit pareil chez vous !

Peu de temps après, nous étions renvoyées, mon amie Martine et moi...

Martine, c'était ma complice, ma confidente comme j'étais la sienne. A défaut de parler aux garçons, j'avais quelques bonnes amies. Martine était française. Elle habitait un immeuble proche de la cité et venait souvent me voir chez nous, sans le dire à ses parents qui n'auraient pas apprécié cette fréquentation. Je pense qu'elle n'était pas bien heureuse, elle non plus. Très vite, nous devînmes inséparables. Nous partagions nos peines, mais aussi nos joies. Des joies un peu factices que nous provoquions par une sorte de gymnastique du fou rire, un rire envers et contre tout. Cela nous valut bien des retenues scolaires et autres punitions. Les professeurs avaient beau nous séparer pendant les cours, mettant l'une au fond de la classe et l'autre au premier rang, même en nous tournant le dos nous trouvions le moyen de pouffer. On nous flanquait dehors et nous riions de plus belle, sachant toutefois que les mauvaises notes ainsi méritées nous coûteraient cher quand nous serions de retour au domicile familial.

Ces moments de gaieté-rémission, je les partageais aussi avec mon amie Fanny, dont la jolie maman venait de mourir d'un cancer. Dès que nos parents étaient sortis, nous nous retrouvions chez l'une ou chez l'autre pour jouer la comédie. Fatima, ma sœur cadette, se joignait à nous. Nous remettions en scène *Le Docteur Cordelier,* un film que nous avions vu à la télévision, interprété par Jean-Louis Barrault. Ce film nous avait terrorisées et nous tentions, avec délices, de recréer cette atmosphère d'épouvante. Fanny s'affublait d'un chapeau melon noir, prenait une canne et tordait sa bouche de côté. Nous éteignions la lumière et Fanny frappait de sa canne, sur un meuble, trois ou quatre coups lugubres qui nous faisaient hurler de terreur. On rallumait la lumière, on riait comme des folles, puis on recommençait, chacune interprétant le rôle à son tour.

Nous dansions beaucoup entre nous, sur des musiques traditionnelles ou modernes. J'inventais souvent des chansons, Fanny rêvait de faire carrière dans le spectacle. Elle avait déniché, je ne sais où, un « impresario » qui lui avait plus ou moins promis de nous « lancer ». Il lui avait confié une chanson — *Le Trèfle à Quatre Feuilles* — que nous devions répéter en vue d'une audition. Nous étions dans tous nos états mais cependant méfiantes : cela ne devait pas être très sérieux et nous avons laissé tomber. D'ailleurs, nos parents n'auraient jamais permis une pareille excentricité. Chanteuses ? Déshonorant...

Nous nous contentâmes alors de fantasmer, comme toutes les mômes de pauvres, sur les actrices en renom du moment : Marilyn Monroe, Ava Gardner, Brigitte Bardot. Ces femmes me fascinaient. Je me disais que d'aussi somptueuses créatures ne pouvaient qu'être comblées de bonheur. L'avenir me persuada du contraire quand j'appris que certaines d'entre elles avaient sombré dans l'alcool ou le désespoir suicidaire. Je compris aussi, bien plus tard, qu'elles véhiculaient parfois une image de la femme pas très positive et qu'elles aussi, dans un monde différent du mien, étaient en quelque sorte victimes d'un système. Je les remercie néanmoins d'avoir mis de la lumière dans ma grisaille quotidienne, pendant ces années d'adolescence où mon paysage familier s'assombrissait de jour en jour.

Nous avions pourtant espéré une amélioration. En 1964, mes parents avaient obtenu un F4 à la Courneuve, dans la cité des Quatre Mille, et mon père avait fait une cure de désintoxication. J'étais sûre que notre vie allait changer.

Malheureusement, l'ambiance anonyme des cages à lapins de la Courneuve se révéla presque plus déprimante que le côté « village » de la cité d'urgence. Mon père replongea dans l'alcoolisme. Il travaillait maintenant la nuit chez Renault, où on l'avait repris sans problème : la guerre était finie. Il dormait toute la journée, imposant le silence général, ce qui n'était guère commode vu la ribambelle d'enfants en bas âge qui s'accrochaient aux jupes de ma mère, et aux miennes. Mon frère Mohand était resté à la cité du treizième avec un de nos oncles maternels, ce qui ne l'empêchait pas de me surveiller à la sortie du collège d'enseignement technique où nous avions échoué, Martine et moi, après notre renvoi du lycée.

J'aurais préféré qu'il vienne m'aider à faire front aux bagarres paterno-maternelles, au moins pendant le week-end... Dans la semaine, en effet, mon père se tenait relativement tranquille, étant donné son emploi du temps. Mais dès qu'arrivait le samedi, son démon intérieur le poussait vers les bistrots voisins d'où il revenait tard dans la nuit, totalement ivre.

Ces nuits-là, je me forçais à veiller, redoutant son retour. En début de soirée, je me réfugiais dans la lecture, je récitais des poèmes, j'écoutais de la musique, je me disais que je m'en sortirais, que je serais peut-être artiste un jour, que je serais libre... Puis, pendant de longues heures, je guettais l'arrivée de papa, le nez collé à la fenêtre de ma chambre du treizième étage. Dans sa propre chambre, ma mère restait sur ses gardes, elle aussi. Dès que nous apercevions mon père de loin, titubant, nous nous glissions chacune dans ses draps et nous faisions semblant de dormir, espérant qu'il respecterait notre sommeil... Mais la plupart du temps, à peine était-il entré en claquant les portes que j'entendais ma mère hurler. J'accourais alors pour les séparer, comme toujours, à ce détail près que j'avais désormais une nouvelle hantise : que mon père jette ma mère par la fenêtre, ce dont il l'avait menacée plusieurs fois après qu'un voisin du troisième eut lui-même défenestré son épouse.

Comme d'habitude je recevais ma part de coups, tandis que mes petits frères et sœurs se réveillaient en pleurant, terrifiés. Ma mère prenait la fuite chez des cousins, ou courait parfois jusqu'à l'aube chez son frère à la porte d'Ivry. Elle restait là-bas le lendemain et moi, je manquais à nouveau le collège, prenant soin de toute la maisonnée pendant que mon père se reposait.

J'avais beau me promettre avec constance un avenir meilleur, il y avait des moments où je désespérais. Martine n'ayant pas le moral, elle non plus, nous avons décidé un jour de nous suicider ensemble. Une démarche de gosses perdues, qui aurait pu se terminer tragiquement mais qui se déroula comme une farce.

Nous avions ramassé chez nous tout ce que nous avions trouvé comme comprimés, somnifères et autres, en vrac. Et à la sortie des cours, nous avons tout avalé, en vrac aussi, mais pas n'importe où ! Place d'Italie, dans notre ancien quartier, dans un café qui faisait face à l'hôpital de la Pitié. Un nom prédestiné qui avait dû parler à notre subconscient : je pense qu'au fond de nous-mêmes, nous voulions être sauvées, et qu'on prenne pitié de nous.

Une heure d'attente, deux heures, presque trois heures dans ce bistrot et rien ! Pas le moindre petit malaise. Nous commencions à être folles d'inquiétude. Car mourir, passe encore... Etre sauvées, à la rigueur... Mais affronter la colère de nos parents pour un pareil retard, c'était pire que tout !

Nous nous sommes finalement résolues à rentrer chez nous, des larmes plein les yeux. Par bonheur, mon père était déjà parti travailler et ma mère accepta tant bien que mal je ne sais plus quelle explication. Je ne demandai pas mon reste et je partis me coucher.

C'est au milieu de la nuit que j'ai commencé à « mourir ». J'avais l'impression que des coups de gong résonnaient dans ma tête, je m'alourdissais de partout, je gémissais. J'avais une telle frousse que je réveillai ma sœur Fatima qui partageait ma chambre. Je lui avouai ma tentative de suicide, l'empêchant toutefois d'avertir ma mère, qu'elle voulait alerter dans son affolement. En fin de compte, elle me fit boire du lait. J'ai su depuis que ce n'était pas toujours recommandé en cas d'empoisonnement mais sur moi cela fit de l'effet : je m'en suis tirée avec force vomissements et, dans la tête, un brouillard à couper au couteau.

Pendant cette nuit brumeuse, j'ai rêvé que je jouais au tiercé les numéros 17, 3 et 1 : c'était, dans mon rêve, le nombre de comprimés de chaque « marque » que j'avais avalés, en les comptant scrupuleusement. On me croira ou non, le lendemain avait lieu le Prix d'Amérique et le tiercé gagnant, dans l'ordre, fut le 17-3-1. Evidemment, je n'avais pas joué...

La chance allait néanmoins me sourire, sous une autre forme, quelque temps plus tard. J'avais gardé d'étroites relations avec mon autre grande amie, Fanny. Celle-ci, persistant dans son désir de faire carrière au théâtre ou au cinéma, réussit un jour à se faire inscrire à l'école du spectacle de Jussieu, rue du Cardinal-Lemoine. Le spectacle ! Ma décision ne fut pas longue à prendre : je m'y inscrivis moi aussi. Curieusement, mes parents ne s'opposèrent pas à cette mutation. Il faut reconnaître que j'avais un peu triché. J'avais simplement dit :

— Je voudrais aller dans la même école que Fanny.

Depuis sa dépendance vis-à-vis de l'alcool, mon père se désintéressait de mes études, sinon de mes fréquentations masculines. Alors, école pour école, il accepta, et ma sœur Fatima vint nous rejoindre à Jussieu l'année suivante.

Seulement, ce n'était pas une école comme les autres. C'était tout ce que je souhaitais ! Le matin enseignement général et, l'après-midi, enseignement artistique : piano, danse et théâtre. Si mes parents avaient soupçonné l'attrait que ces disciplines exerçaient sur moi, nul doute qu'ils se seraient méfiés, mais je me gardais bien de leur faire des confidences dans ce domaine, d'autant qu'à la maison je n'avais guère l'occasion de m'épancher.

Pour mon premier examen d'art dramatique, mon professeur me confia le rôle d'Antigone dans la pièce de Jean Anouilh. Antigone... Celle qui refuse et qui lutte : l'emploi me convenait et je fus reçue à la seconde place. En fait, j'aurais dû être première mais j'avais sollicité mon amie Martine pour me donner la réplique, or, bien entendu, dès le lever du rideau, on s'est regardées trente secondes et on a éclaté de rire. Il m'a fallu recommencer la scène, ce qui m'a valu d'être déclassée. J'avais quand même obtenu les félicitations du jury et je me sentais pousser des ailes.

Je me mis à travailler d'arrache-pied, avec de l'énergie à revendre. L'ambiance de Jussieu représentait pour moi une bouffée d'air libérateur. J'essayais de rivaliser d'élégance avec les autres élèves. Faute de moyens, je privilégiais la fantaisie, ce luxe des pauvres. Je m'habillais avec beaucoup d'humour, genre jupe plissée grise, veste à carreaux et chapeau melon, celui qu'un de mes oncles avait acheté aux Pèlerins d'Emmaüs. Je me levais très tôt pour me faire des mises en plis, essayant de troquer ma frisure naturelle contre les bouclettes parisiennes. En réalité, je tentais de me faire plus européenne que je ne l'étais. Non par mépris pour mes origines, mais parce que j'avais trop ressenti, aux abords de la cité du treizième, ce racisme implicite concernant les « Arabes » : l'Arabe couteau à la main, la femme aux longs cheveux crépus, passés au henné, la femme sournoise, quémandeuse, voleuse peut-être... Même à l'école du spectacle, les professeurs les mieux disposés à mon égard me disaient que j'étais trop brune, que j'avais un type qui ne correspondait pas aux rôles du répertoire, comme si tout le théâtre était blond.

Donc le matin je me « parisianisais », cheveux raccourcis par le bouclage, maquillage à l'avenant. Puis je me hâtais de partir avant que les autres ne s'éveillent car, cela va de soi, le moindre fard m'était interdit.

Je sympathisais beaucoup avec mes camarades. Entre les cours, nous nous rendions au café à côté de l'école pour discuter des heures et des heures. C'était notre « Maison des Jeunes ». Je trouvais pour ma part qu'il y avait trop de fumée. J'ai toujours eu horreur du tabagisme mais j'ai gardé le goût de ce café que nous buvions à longueur de conversations.

Le soir, avant de rentrer chez moi, je prenais soin de me laver le visage dans les toilettes du bistrot, puis de retirer mes bas et mes bracelets dans l'ascenceur de la Courneuve.

Parfois, mon frère me surprenait, fardée, à la sortie de l'école, et sévissait comme à l'accoutumée. D'autres fois, il faisait mine de ne rien voir et m'emmenait à la cinémathèque ou bien visiter une exposition. Il se destinait à la photographie et l'art nous rapprochait. Je commençais à espérer qu'il pourrait convaincre mon père de me laisser exercer le métier de mon choix.

Je me faisais des illusions : la réponse de mon père allait être sans appel. A seize ans, je fus sollicitée pour jouer le rôle principal d'un feuilleton, *Pitchi et Poï,* qui devait être tourné dans plusieurs pays d'Europe. Partir, voyager, « tourner » ! Les portes du paradis s'ouvraient grandes devant moi. L'équipe de télévision offrit à mes parents une somme d'argent plutôt rondelette, acceptant de faire en outre les frais d'une accompagnatrice — ou d'un accompagnateur — membre de ma famille.

Le verdict de mon père tomba comme une guillotine :

— Jamais ma fille ne montera sur les planches !

J'étais au désespoir, comprenant que ma vocation d'artiste serait toujours contrariée. Car mon père me fit bien comprendre que mon jeune âge n'était pas la seule raison de son refus. Dans deux ans ou dans quatre, ce serait la même chose.

Je ne renonçai pas pour autant. Je retournai à l'école du spectacle, me disant que j'avais encore beaucoup à apprendre, et qu'il fallait en profiter. De toute façon, les cours étaient mes seuls moments de bonheur, et parfois d'émerveillement. Dans le cadre de nos activités, on nous envoyait faire de la figuration dans les studios des Buttes-Chaumont ou de Boulogne, où nous nous familiarisions, aussi, avec les aspects techniques du métier. C'est là que j'ai pu rencontrer, lors de certains tournages, des vedettes consacrées comme Romy Schneider, Sophia Loren et même Elisabeth Taylor. Je n'étais pas du genre à quémander des autographes et je n'osais pas aborder ces monstres sacrés, mais rien que les voir de près m'enchantait. Un jour, à l'entrée des studios, je me suis cognée contre Richard Burton qui sortait de sa Rolls verte. Il s'est arrêté et m'a dit : « *Sorry* ». J'étais à peu près dans le même état qu'un manant du XVIIe siècle auprès de qui Louis XIV se serait excusé.

Pendant la fin de mes études secondaires à l'école du spectacle, j'essayai en vain de circonvenir mon père en lui proposant des solutions de rechange. Je ne monterais pas sur les planches, soit. Mais je pourrais peut-être m'inscrire à l'IDHEC pour devenir réalisatrice de cinéma ? Derrière la caméra, je ne montrerais pas mon visage, je ne m'exhiberais pas, je resterais pudique et discrète comme les filles d'Allah : mon père pouvait être rassuré. Quant à moi, le cinéma ne regroupait-il pas tout ce que j'affectionnais : le sens du beau, le sens du texte, la musique, la poésie, parfois la danse ?

Il n'y eut rien à faire : tout ce qui touchait à « l'artistique », comme il disait, rebutait mon père et restait tabou, surtout pour une fille. La seule chose à laquelle il consentait, c'était que je fasse mes études de droit. Il avait toujours souhaité qu'un de ses enfants devienne avocat. Mon frère aîné ayant refusé de se diriger vers cette profession et moi-même me révélant plutôt douée, il me « donnait ma chance ». Un jour donc, il me mit le marché en main :

— Ce sera le Droit ou tu resteras à la maison comme tes compatriotes.

J'obtempérai, sans grand enthousiasme. Je fis une première année, à dix-sept ans, retournant dans mon esprit les possibilités qui s'offraient à moi. Mon idée, c'était de poursuivre mon Droit mais de m'inscrire en même temps, l'année suivante, dans une école de journalisme pour devenir critique d'art. Je pourrais ainsi demeurer dans un domaine que j'aimais. Cela supposerait beaucoup d'efforts, certes, car en plus de la Faculté je travaillais maintenant deux jours par semaine au Prisunic des Champs-Elysées afin de participer au budget familial. Mon père exigeait de vérifier mes fiches de paye et prenait tout l'argent gagné, au centime près. Mais cela m'était égal : je me sentais de taille à soulever des montagnes et j'abordais mes dix-huit ans avec un courage galvanisé par les projets.

C'est alors que le ciel me tomba sur la tête : oubliant mon avenir d'avocate, mon père décida de me marier.

Me marier à l'algérienne, sans me demander mon avis ! Il fit valoir que depuis mes quinze ans, il avait déjà refusé plusieurs offres, à cause de mes études. Mais il estimait maintenant que cette longue attente avait assez duré.

— Si tu ne te maries pas cette année, tu ne te marieras jamais ! hurlait-il avec cette hantise des pères de chez nous qui redoutent d'avoir une laissée-pour-compte sur les bras.

Et de m'expliquer qu'il avait donné sa parole à un lointain cousin que je ne connaissais même pas, dont le fils avait une bonne situation et voulait m'épouser. Le tout annoncé comme un ordre sur lequel on ne pouvait pas revenir.

J'étais enragée de panique, décidée à mourir — pour de bon cette fois-ci — plutôt que de me plier à cette tractation barbare. Après tout, je ne serais pas la première jeune fille maghrébine à me tuer par refus de mariage forcé. Un jour, à la radio algérienne, une femme avait fait une émission là-dessus. Elle avait donné aux fiancées contraintes la possibilité de s'exprimer en direct. Ce fut dramatique. Elles téléphonaient des quatre coins du pays, disant : « Demain mon père veut me marier, mais qu'il n'y compte pas car je serai morte avant. » Elles promettaient de s'empoisonner, de se jeter dans la mer, de… L'émission avait été immédiatement interrompue et la journaliste expulsée.

Cet incident n'avait eu aucun écho en France : on pensait ici que ces mœurs perduraient au fond de l'Algérie, certainement pas dans l'Hexagone. Or, cela se passait aussi à Paris : je venais d'en faire l'expérience et j'échafaudais à mon tour des plans de suicide réussi.

Finalement, je décidai qu'il était quand même trop idiot de se tuer sous prétexte de vouloir vivre sa vie. Ne valait-il pas mieux fuir ? C'était à voir… Car fuir dans ces conditions, c'était traditionnellement déshonorer la famille, se faire retrouver par son père et se faire tuer par lui, au lieu de se trucider soi-même.

A moins que… A moins que Mohand n'accepte de me secourir. Si curieux que cela puisse paraître, c'était en effet la seule personne qui pouvait me venir en aide car, peu de temps auparavant, il avait épousé... mon amie Martine !

Pour moi, cela n'avait pas été si surprenant, au fond. A force de m'épier, mon frère connaissait toutes mes camarades, Martine en particulier, qui ne me quittait guère. Il était séduisant, il se montra charmeur, et comme Martine était française, il n'eut pas les scrupules qu'il aurait certainement montrés à l'égard d'une jeune fille de son pays. Mon amie se retrouva enceinte.

L'affaire fit grand bruit dans les deux familles concernées, mais beaucoup moins de scandale, chez nous, que si la vierge « déshonorée » avait été une Algérienne. Les parents de Martine, mis devant le fait accompli, préférèrent « régulariser la situation » plutôt que de subir la honte d'une « fille-mère ». Quant à mes parents, Mohand les avait habitués à faire ce qu'il voulait depuis l'enfance : il ne leur demanda même pas leur avis. Il venait d'avoir vingt et un ans, c'était l'âge de la majorité en ce temps-là, il pouvait décider de son sort.

Personne n'accepta cependant d'assister au mariage, sauf moi, complètement ravie que Martine devienne ma belle-sœur. Cela nous rapprocherait encore davantage. Nous nous aimions tant, elle et moi... Pouvais-je prévoir que sa propre fille, Sabine, viendrait un jour frapper mon enfant dans mon ventre ?

Quoi qu'il en soit, à l'époque, le précédent créé par mon frère allait peut-être se révéler utile. Mohand pouvait difficilement me refuser son alliance, tout moralisateur qu'il fût. D'ailleurs, je ne lui demandais pas d'épouser qui que ce soit à la barbe des miens : je le suppliais de ne pas me laisser unir à un inconnu. Il était quand même suffisamment évolué pour comprendre mon attitude. Martine, de son côté, insista fortement pour qu'il accepte de parlementer avec mon père, ce qu'il fit, sans le moindre succès.

C'est alors que me vint l'idée de partir pour Alger, avec Mohand et ma belle-sœur. Je m'éloignerais ainsi de la colère paternelle. De plus, il me semblait que nous pourrions trouver là-bas des postes intéressants. L'Algérie venait d'acquérir son indépendance, elle avait besoin de jeunes cadres enthousiastes, prêts à construire un pays neuf, tourné vers le progrès, c'est du moins ce que je pensais. Nous irions travailler dans la capitale, nous trouverions un logement, et ensuite nous ferions revenir au pays le reste de la famille. Nos parents finiraient peut-être par retrouver entre eux une certaine harmonie sur leur terre d'origine : je n'avais pas abandonné l'espoir de les voir se réconcilier. Je rêvais...

Nous rêvions tous les trois, car Mohand et Martine furent vite d'accord avec moi, mais nous gardions les pieds sur terre. Pour partir, il fallait un minimum d'argent. Nous décidâmes de faire des boulots d'appoint, à n'importe quelle heure du jour ou de la nuit. Mon frère, tout fier de ses nouvelles responsabilités, enfermait nos sous dans un grand bocal de verre. Nous mangions un minimum, nous n'achetions aucun vêtement, notre seul objectif étant de trouver un véhicule d'occasion afin de prendre la route, et d'avoir la possibilité de nous déplacer librement, une fois en Algérie.

Nous mîmes un tel acharnement dans ce projet qu'au bout de quelques mois, nous avions la somme nécessaire, et l'engin. Restait que je n'étais pas majeure et que mon père s'opposait farouchement à notre départ.

Mohand avait autant d'intelligence que de ténacité, quand il voulait : il réunit un conseil de famille composé d'oncles et de cousins qui finit par avoir raison de l'obstination paternelle, dans la mesure où, solennellement, mon frère se portait garant de moi en présence de témoins. Là encore, je ne pouvais pas imaginer ce que me vaudrait bientôt cette passation de pouvoirs. Pour l'heure, j'exultais...

Nous partîmes peu après, en janvier 1968, à bord de notre vieille 403 Peugeot grise, via Marseille, afin de nous embarquer — voiture comprise — vers notre pays natal. Je ne me rendais même pas compte de l'ironie de la situation : je quittais la France en pleine révolution féministe et pré-soixante-huitarde pour fuir le poids des traditions ancestrales algériennes, et je partais pour l'Algérie de mes ancêtres afin de trouver la liberté, ainsi qu'une conception plus moderne de la vie.

D'ailleurs, le bateau qui nous emmenait vers la ville de mes espoirs s'appelait « l'Avenir ». N'était-ce pas de bon augure ?

La traversée fut agréable, me réconciliant avec la mer. Il y avait peu de Français sur le bateau : la plupart des passagers étaient des émigrés expulsés de France. Le contraire, en somme, de ce que j'avais vu en quittant l'Algérie, en 1954, par une tempête épouvantable et en compagnie d'une foule de Kabyles invités à venir travailler dans la métropole.

Martine et moi étions les seules femmes à bord. L'équipage, très sympathique, nous permit de quitter la classe économique pour nous installer en classe touriste, avec Mohand. Le bébé de Martine, la petite Sabine, n'était pas avec nous. Ma mère avait accepté de la garder en attendant que nous soyons vraiment établis sur la terre algérienne.

Mon frère était d'une humeur charmante. L'arrivée devant la baie d'Alger fut un éblouissement : nous avions perdu l'habitude de tels espaces, et de tant de beauté.

Après les formalités d'usage, nous avons débarqué la voiture et nous nous sommes lancés dans les rues de la ville blanche, envahies d'une foule blanche elle aussi, hommes en burnous et nombreuses femmes voilées. A force d'avoir le regard ailleurs, mon frère grilla un feu rouge et un policier nous fit signe d'arrêter. Mohand évoqua l'émotion du retour au pays : l'agent de police nous laissa repartir. J'aurais aimé descendre de l'automobile et flâner dans les ruelles, que finalement je ne connaissais pas. Mais le désir de revoir d'abord Ifigha, notre village natal — et pour moi la hâte d'embrasser Setsi Fatima — l'emportèrent. Nous reviendrions à Alger plus tard, comme prévu, pour trouver du travail.

Les faubourgs de la capitale me surprirent. Des immeubles modernes avaient poussé comme des champignons, constructions sans style et sans charme. Dès que nous eûmes emprunté la route moutonnière qui borde la mer, cependant, la magie des sites reprit tous ses droits.

Nous roulâmes longtemps, malgré notre fatigue. Après Tizi-Ouzou, je retrouvai les campagnardes vêtues de robes multicolores, travaillant dans les champs d'oliviers, le foulard sur la tête mais le visage à découvert. Puis nous attaquâmes la montagne, cherchant Ifigha parmi les bourgades accrochées à flanc de coteau. Nous ne nous souvenions plus de l'itinéraire, évidemment. Un vieil homme nous l'indiqua et nous arrivâmes enfin chez nous, roulant lentement sur la rue pierreuse, escortés par une ribambelle d'enfants. Nous nous arrêtâmes sur la place, notre maison, là-haut, n'étant accessible qu'à pied.

Un attroupement se fit autour de nous, les questions fusaient :

— D'où venez-vous ? De France ? Comment, vous êtes les petits-enfants de Fatima ? Allons vite la trouver. La chance lui sourit, aujourd'hui !

Et les gens se mirent à grimper le chemin avec nous. Les femmes nous regardaient, Martine et moi, avec ahurissement. Il faut dire que nous étions vêtues d'un pantalon serré dans de grandes bottes, et d'une cape en drap bleu. J'avais les cheveux frisés comme Angela Davis. C'était la mode, à l'époque, en France : nous venions de Paris... Les villageoises, néanmoins, ne firent pas de commentaires tout de suite sur notre accoutrement. Elles se contentaient de clamer haut, de façon presque solennelle :

— C'est donc toi, Djura, la fille de Fatima... Car tu es sa fille, ne l'oublie pas : c'est elle qui t'a nourrie, qui t'a donné son lait, c'est ta mère.

Arrivée devant notre maison, je repris mon souffle un instant, tellement j'étais émue à l'idée de revoir ma maman-grand-mère. Déjà, la réalité ne ressemblait plus à mes souvenirs d'enfance : j'avais tout cru plus grand, la place, la mosquée, maintenant le portail de notre demeure, que j'imaginais immense et qui n'était en fait qu'une porte comme les autres. Comment serait Setsi Fatima ?

Elle apparut soudain, vêtue d'une gandoura de coton fleuri, un foulard noué sur le front, ses longues nattes colorées au henné dépassant dans son dos. Elle avait maigri, des rides sillonnaient son visage. Il ne lui restait plus que deux dents sous ses lèvres amincies tirées dans un sourire, mais elle avait conservé ce regard bleu, limpide, qui me fit aussitôt fondre en larmes de joie. Elle aussi pleurait, prenant ma tête entre ses mains, puis l'éloignant, me contemplant, me serrant à nouveau contre elle, murmurant entre deux sanglots :

— Ma fille, ma fille... Merci de me rendre ma fille !

Ensuite, son regard se posa sur mon frère et Martine. Elle dit encore :

— *A revhiw, a revhiw !* Quel bonheur, quel bonheur !

Et elle nous fit entrer... Je retrouvai les murs blanchis à la chaux, les poutres anciennes, les couvertures de laine rayées de mon enfance posées sur un coffre de bois que Setsi Fatima elle-même avait peint. Je retournai bientôt vers la porte restée grande ouverte pour admirer le Djurdjura et ses neiges éternelles. Je n'entendais plus les questions, ni le brouhaha des curieux, tout autour de nous. Je finis, dans mon enthousiasme, par me demander

71

pourquoi nous étions partis d'ici. J'eus en tout cas la sensation euphorisante qu'une nouvelle vie s'offrait à moi.

Le soir, Setsi Fatima installa Mohand et Martine dans une des maisonnettes qui entouraient le patio. La bâtisse me parut passablement délabrée et je me jurai de la reconstruire plus tard. Puis je revins dans « notre maison », celle où nous avions été si heureuses, ma grand-mère et moi.

Je la visitai plus attentivement. Dans l'étable, il n'y avait plus ni vache ni veau : Setsi Fatima les avait vendus peu de temps avant notre arrivée parce qu'elle avait besoin d'argent. En revanche, elle ne dormait plus par terre, mais dans un grand lit de fer forgé que j'allais d'ailleurs partager avec elle. La mezzanine était restée telle que je me la rappelais, avec ses niches à rangement, ses grandes jarres pleines de semoule, de figues sèches et de lentilles. Fidèle à mes souvenirs, aussi, la grande salle du bas avec son coin « cuisine » et, au milieu de la pièce, le *kanoun,* le foyer où l'on fait cuire la galette au feu de bois et devant lequel, l'hiver, Setsi Fatima me parlait de Tseryel la sorcière... Toute cette architecture intérieure était l'œuvre de ma grand-mère, je le savais. Mais cela n'avait rien d'exceptionnel : ces aménagements, ici, furent de tous temps confiés aux femmes.

Il n'y avait toujours pas d'eau courante ni d'électricité. Aussi, avant de se coucher, Setsi Fatima alluma-t-elle l'une de ces lampes à huile de sa fabrication, dont la mèche était faite de lanières en chiffon tressées.

— *Sekniyid taqejirtim!* me demanda-t-elle gentiment.

« Montre-moi ta petite pied »... Elle avait mis le mot au féminin, comme elle le faisait quand j'étais bébé, recréant la complicité d'autrefois.

Joignant le geste à la parole, elle tira sur mes bottes,

apporta une bassine d'eau, y trempa mes pieds nus. Puis elle les regarda longuement et les caressa, satisfaite. C'est que le « petit pied » a beaucoup d'importance dans l'esthétique kabyle. La robe traditionnelle dévoilant à peine le bas du mollet, le regard se porte naturellement sur les chevilles et sur les pieds. Plus ceux-ci sont menus, plus la femme est appréciée...

Grande question le lendemain pour Martine et pour moi : Comment allions-nous nous vêtir ? A l'européenne ou à l'algérienne ? Je me souvins alors de mon père, qui avait mis un point d'honneur — et de vive courtoisie — à ce que ma mère débarque en France habillée comme une Française. J'optai donc pour la gandoura, Martine également. Ma grand-mère, ravie, sortit ses plus belles parures, conservées depuis des années dans l'espoir de mon retour. Nous passâmes deux longues robes brodées, sûres que nos voisins et voisines apprécieraient ce geste.

En fait, pendant des jours et des jours, ils se montrèrent tatillons — les femmes surtout, qui seules nous adressaient la parole — et puis réprobateurs. Par pure fantaisie, Martine et moi avions noué la fouta rouge et or sur le côté, ce qui nous valut les foudres des villageoises, qui nous obligèrent à la nouer sur le ventre, selon la tradition.

La tradition... donc le foulard. L'amendil camouflant la chevelure-appât sexuel. A Paris, même si certaines coutumes restaient obligatoirement respectées dans les communautés maghrébines, les jeunes filles allaient volontiers tête nue, dans les années soixante. Ici, c'était impensable. Seulement, allez expliquer cela à Martine qui n'avait jamais rien porté sur ses cheveux ! Quant à mes frisottis personnels, le foulard glissait dessus sans arrêt : ils étaient bien trop courts pour que je puisse garder l'amendil sur ma tête très longtemps.

J'expliquai nos difficultés à Setsi Fatima, qui se contenta de répondre :

— *Roulikem...*

« Tant pis », disait-elle, mais son regard trahissait une forte contrariété. Elle ne tarda pas, d'ailleurs à se faire harceler de reproches.

— Ne laisse pas Djura se promener ainsi, ronchonnaient les commères. On va la prendre pour une putain. Son père ne l'a pas envoyée ici pour ça. Tu vas devenir la risée du village.

Je crus alors trouver une solution. Je demandai à Setsi Fatima la permission de rester tête nue à la maison mais, pour sortir, je lui promis de porter un chapeau. Un chapeau, cela cache aussi les cheveux, non ?

Ce fut l'horreur ! Car ne pas porter le foulard, c'est mal, mais porter le chapeau, pour une femme, se révèle carrément diabolique ! Le chapeau est un symbole de virilité, un attribut exclusivement masculin. Pourquoi pas le burnous, pendant que nous y étions ! Du reste, racontaient les mauvaises langues, elles sont arrivées en burnous ! Eh oui... Nos grandes capes qui me paraissaient si sages avaient fait de nous, dès le premier jour, des provocatrices...

Les amies de Fatima se mirent alors à prendre en main mon éducation, s'occupant un peu moins de Martine, sans doute parce qu'elle était française. Elles me pardonnaient volontiers mes erreurs : j'étais si petite quand j'avais quitté Ifigha. Mais enfin, désormais, je devais me plier à la « mode du pays ». D'abord, j'étais trop maigre, je n'avais pas de hanches : mangions-nous si mal, en France ? Il me faudrait grossir... Par ailleurs, je ne devrais plus mettre de khôl sur mes yeux, cet artifice étant réservé aux femmes mariées. Et puis, que je n'oublie surtout pas de baisser les yeux quand je rencontrais un homme sur mon chemin, ni de lui céder le passage. J'avais entendu parler de cette obligation à Paris, bien sûr, mais personne ne la respectait. Ici, cela devenait de rigueur.

Au début, je résolus de me plier à toutes ces contraintes par pure politesse, pour ne pas blesser Setsi Fatima, et peut-être aussi dans un esprit romanesque de « retour aux sources ». Martine, elle, vécut cela pour commencer comme un amusement exotique, je suppose. Après tout, nous n'allions pas rester ici bien longtemps. Mon frère était censé nous trouver un logement et des occupations à Alger. Or, dans la capitale, si l'on croisait des femmes voilées, on pouvait remarquer aussi bon nombre de filles « en cheveux », sans doute plus émancipées, du moins le croyais-je... En attendant, nous sacrifiions aux coutumes des montagnes de nos vacances.

Nous avons même voulu faire la corvée d'eau, afin d'aider ma grand-mère, épuisée par des années de labeur et par les services qu'elle rendait alentour. Le matin, elle se levait toujours aussi tôt qu'autrefois, puis récitait sa prière en arabe bien qu'elle ne comprît pas un mot de cette langue. L'arabe, depuis des siècles, n'avait pas réussi à pénétrer dans nos villages, pas plus que le français en cent trente ans de colonisation, sauf chez les rares habitants qui avaient eu la chance d'être scolarisés.

Après la prière, Setsi Fatima partait chercher l'eau. Seulement nous étions plus nombreux, désormais, et il fallait plus d'eau. Trop d'eau ! Nous ne savions pas l'économiser comme il aurait convenu.

— Dans le désert, on peut se laver entièrement dans un verre ! expliquait Fatima.

J'avais le cœur serré chaque fois que je la voyais franchir le seuil de la maison, haletante, son énorme jarre pleine sur sa pauvre vieille tête. Nous ne pouvions plus supporter ce spectacle, ma belle-sœur et moi, et nous décidâmes un beau jour d'aller nous-mêmes à la fontaine.

On s'est exercées sans succès à porter les jarres sur le

crâne, incapables de réussir cette prouesse de jongleuses, sous les regards narquois des villageoises, et des hommes qui nous épiaient, plantés devant la mosquée... Alors, nous avons acheté chacune deux seaux en aluminium que nous avons portés à bout de bras. C'était lourd et, pour recueillir l'équivalent d'une jarre pleine, nous devions faire plusieurs voyages. Certains nous trouvaient parfaitement ridicules, des petites Parisiennes incapables de s'adapter aux gestes des Kabyles. D'autres estimaient que nous assistions ma grand-mère du mieux que nous le pouvions, et que nous étions bien courageuses de nous exposer ainsi aux moqueries.

Quoi qu'il en soit, nous restions des bêtes curieuses. Des créatures de l'autre côté de la Méditerrannée, des filles « libres ». Les femmes du village venaient visiter cette liberté comme elles seraient allées contempler des extra-terrestres : avec étonnement, mais sans se sentir directement concernées. Dès le matin, le défilé commençait chez grand-mère. Je dormais encore qu'elles étaient déjà là, prenant le café. Souvent elles apportaient du pain, des figues. Celles qui avaient des chèvres nous offraient du lait et du beurre. Setsi Fatima les recevait avec plaisir : elle aimait la convivialité. Même avant notre arrivée, les femmes et les jeunes filles avaient pour habitude de se réunir chez elle : leurs maris et leurs frères ne s'y opposaient pas, sachant qu'il n'y avait pas d'homme ici.

En huit jours, notre maison fut donc remplie de gâteaux, de sucre et de mille autres friandises. En soi, c'était plutôt gentil. Mais après les présents d'usage, les visiteuses se précipitaient dans mon sillage sans me laisser tranquille une minute. Elles me regardaient sur toutes les coutures. Un jour, l'une d'elles vint même tâter mes seins, comme si je n'étais pas faite de la même matière qu'elle. Les plus jeunes s'arrachaient mes soutiens-gorge, que je leur donnais volontiers, ou s'extasiaient devant quelques autres pièces de lingerie féminine, tandis que leurs aînées renouvelaient leurs recommandations en tous genres. Les enfants arrivaient bientôt, criant ou pleurant : je m'enfuyais à l'extérieur, en baissant les yeux, cela va de soi.

Là, je retrouvais l'exaltation de mon jeune âge. Les narcisses du bon Dieu embaumaient toujours la nature. Je les piquais dans mon foulard (il avait bien fallu m'y résoudre) comme le faisaient les filles du pays. Je ramassais aussi d'énormes bouquets de fleurs roses très odorantes que je plaçais partout dans la maison, sur les étagères, autour du lit et même sur le sol : j'avais appris que ces fleurs faisaient fuir les serpents.

Un petit moineau, en effet, m'avait permis de découvrir un nid de serpents dans la mezzanine, au péril de sa propre vie ! Je venais de le recueillir et comme il piaillait dans mes mains, je l'avais posé sur une des étagères. Il avait sautillé aussitôt derrière les jarres de blé… Ne l'entendant plus, j'avais cherché à le rattraper : ce fut un gros serpent qui apparut à sa place puis se sauva dans un trou du mur. Il n'avait dû faire qu'une bouchée de ce pauvre piaf ! Je m'étais mise à hurler, au grand étonnement de ma grand-mère, qui connaissait parfaitement l'existence de cet antre à reptiles et ne voyait là rien de vraiment terrifiant. Décidément, le « retour aux sources » me réservait bien des surprises.

Depuis, redoutant que ces affreuses bêtes sortent de leur cachette, je remplissais la maison de fleurs, à la stupéfaction générale car ici, les fleurs sont faites pour rester dans les champs et ne servent jamais à la décoration. Mais moi, je voulais dormir tranquille, lire à mon aise les poèmes d'Omar Khayyām, aider aux travaux de couture ou à l'épluchage des légumes — assise par terre selon la coutume — sans avoir à guetter en tremblant l'arrivée de ces épouvantails.

L'après-midi, je reprenais mes habitudes d'enfance, accompagnant ma grand-mère partout. Nous allions rendre visite à telle ou telle jeune accouchée, ou bien réconforter des malades, et nous promener dans la campagne. Setsi Fatima me montrait les terrains qui appartenaient à mon père. Elle me désignait chaque parcelle par son nom, m'expliquant que pour elle, vendre un morceau de terre revenait à vendre un morceau de sa chair.

Nous allions souvent dans un douar qui me semblait avoir été baptisé à coups de clochette : Tala-Gala... C'était le fief de ma famille maternelle. A Tala-Gala, on était tous plus ou moins cousins, et l'ambiance me paraissait moins conventionnelle qu'à Ifigha.

Les vieilles me racontaient des histoires du temps passé, m'affirmant que Si Moh ou Mhand, le poète errant, s'était arrêté dans ce village. Je les écoutais, profitant de leur bavardage ou de leurs chansons pour me familiariser un peu plus avec la langue kabyle, que mes parents parlaient à la maison, certes, mais que je n'avais guère pratiquée à Paris. Mes vieilles « cousines » de Tala-Gala se réjouissaient de constater que je m'intéressais à ma culture d'origine. « Ce n'est pas comme certaines, qui tortillent leurs fesses de façon éhontée, ne parlent pas un mot de leur langage natal et qui, sous prétexte qu'elles viennent de France, se prennent pour des DS 19 ! »

— Tfou, tfou ! ajoutaient-elles en crachant par terre de dégoût.

Pendant un certain temps, je crus que leur sympathie à mon égard leur permettrait d'entendre mon discours « émancipateur ». J'essayais de leur faire prendre conscience de ce que leur société restait faite pour les hommes, leur statut de femme ne leur apportant que des travaux forcés, sans aucun épanouissement personnel en retour.

— Ça c'est bien vrai, ma fille, approuvaient-elles en me

montrant leurs bras qui n'avaient plus que la peau sur les os.

— C'est bien vrai, poursuivaient-elles en touchant leur visage fripé, leurs mains crochues et crevassées par les corvées domestiques ou agrestes.

Pour un peu, nous aurions pleuré toutes ensemble sur nos sorts respectifs. Mais ce n'était là chez elles qu'un constat : ce sort, elles continuaient de l'accepter, même si elles commençaient à critiquer certaines pratiques qui me faisaient dresser les cheveux sur la tête.

Une jeune fille, par exemple, avait récemment disparu. On l'avait retrouvée au fond d'un puits. Après enquête, ses propres parents avaient reconnu l'avoir noyée parce qu'elle refusait le mari qu'ils voulaient lui imposer, et qu'en plus ils doutaient de sa virginité.

— Quelle honte ! s'exclama l'une des vieilles, mais personne ne parla d'interdire fermement ces usages.

Une autre adolescente, enceinte, avait tenté vainement d'interrompre sa grossesse en usant de drogues mystérieuses et de quelques sortilèges. Quand sa mère et sa sœur découvrirent son état, elles la tuèrent, tout simplement.

En entendant ces monstruosités, je me félicitais d'avoir été élevée en France, loin de ces sévices d'un autre âge. J'avais quand même pu sortir, étudier, et je me sentais maintenant en mesure de choisir mon destin. L'idée que les miens viendraient un jour avec violence, eux aussi, me punir d'attendre l'enfant d'un homme qu'ils n'avaient pas choisi ne m'effleura pas une seconde. D'ailleurs, à cette époque, je persistais dans ma résolution de petite fille : je n'avais aucune envie de convoler.

Mon célibat rendait perplexes toutes mes confidentes, jeunes ou vieilles.

— Mais pourquoi ne te maries-tu pas ?

Les amies de mon âge, à Tala-Gala comme à Ifigha,

attendaient docilement le mariage. Certaines restaient à la maison, partageant les tâches ménagères, d'autres avaient la chance de poursuivre encore leurs études : toutes n'en préparaient pas moins leur trousseau. Elles exhibaient fièrement les couvertures somptueuses qu'elles tissaient à la main à longueur de soirées. Pour agrémenter cet artisanat, elles se mettaient à plusieurs sur l'ouvrage de l'une ou de l'autre. Ainsi, le tissage avançait plus vite et puis c'était plus gai. Elles appelaient cette entraide « se prêter ses bras ».

Elles se prêtaient leurs bras mais ne rêvaient pas d'amour. Elles faisaient simplement des vœux pour qu'on leur propose un homme gentil, compréhensif et doux. Elles suppliaient le ciel, en outre, de ne pas leur donner une belle-mère trop méchante. La suprématie de la belle-mère demeurait une institution. Si la bru ne lui plaisait pas et ne se montrait pas docile, la mère du mari pouvait quasiment obliger celui-ci à répudier sa femme.

Je n'arrivais pas à comprendre l'acharnement que ces « mères de garçons » mettaient à perpétuer l'asservissement féminin. Elles aussi, pourtant, avaient subi ce joug au début de leur mariage ! Elles auraient dû casser le rythme infernal, refuser de contraindre et d'humilier, le moment venu, leurs filles et belles-filles. Mais non : selon la loi humaine étrangement répandue qui veut que les opprimés prennent un obscur plaisir à devenir oppresseurs à leur tour dès que l'occasion leur en est donnée, elles continuaient de transmettre la recette du malheur féminin de génération en génération, *mektoub*, c'est le destin.

Je tentais de les persuader qu'on pouvait adopter de nouvelles attitudes. Que pour ma part, je refusais de me soumettre et d'entrer dans cet engrenage ridicule. Je les invitais à s'unir, obstinément, pour refuser leur esclavage et sortir de ce cycle sans fin. Autant prêcher dans le désert... Je pensais trouver un embryon de solidarité féminine, je me heurtais à un mur de renoncement.

Quant à ma propre « émancipation », sans que je m'en rende compte, elle n'existait qu'en paroles. Le piège ancestral n'allait pas tarder à se refermer sur moi, et les faits allaient se charger de me mettre en face d'une réalité à peine envisageable.

Nous étions à Ifigha depuis plusieurs mois déjà, et je commençais à m'impatienter. Mon frère prétendait continuer de faire des démarches pour nous dénicher des emplois à Alger, mais il était avare d'explications. Il ne se confiait pas davantage à Martine. En réalité, il avait changé du tout au tout depuis notre arrivée en Kabylie, se fondant au moule des « seigneurs » de l'endroit.

Il ne nous adressait la parole que pour donner des ordres. Il partait pour Alger, revenait sans mot dire. Quand il restait à Ifigha, il remettait le burnous, allait à la chasse avec ses copains, puis revenait dans une de nos maisonnettes autour du patio, désormais aménagée pour lui seul et ses hôtes. Ma belle-sœur et moi préparions le repas de ces messieurs, et ma grand-mère le leur apportait, car nous, les jeunes femmes, ne devions pas nous montrer à tous ces garçons. Je n'avais d'ailleurs aucune envie de les fréquenter, à vrai dire. Des tyrans comme Mohand ? Un seul me suffisait.

Car mon frère était redevenu aussi pointilleux qu'agressif. Il traitait ma grand-mère comme une domestique, me frappait au moindre faux pas, sans que personne n'y trouve à redire : « *Derguez* », c'était un homme, et un homme a tous les droits. Il ne se privait pas, du reste, d'expliquer que j'étais désormais sous sa tutelle, justifiant ainsi son autorité absolue sur moi. J'étais coincée...

Pour Martine, je suppose que c'était encore plus péni-
ble. Elle était tombée amoureuse de Mohand à Paris, ils
avaient eu un bébé, mais ils n'avaient pas vécu ensemble :
elle ne connaissait pas sa violence. D'ailleurs, dans l'euphorie du départ pour l'Algérie, Mohand ne nous avait-il
pas dit à toutes deux :

— Surtout, ne vous tracassez pas pour les « coutumes ». Nous, on arrive de France, on ne va pas se laisser
imposer ces vieux trucs.

Comment ma belle-sœur aurait-elle pu imaginer qu'elle
se retrouverait un jour commandée, brimée, battue par
son mari ? Aux premières « corrections » de mon frère,
elle crut que le monde s'écroulait.

— L'Algérie l'a complètement détraqué ! me dit-elle.

Mais Martine était moins rebelle que moi, et Mohand en
profita. Bientôt, elle reçut le double de ma ration de
raclées. Nous nous consolions entre nous, retrouvant nos
fous rires nerveux de l'école, seuls sursauts d'une sorte de
léthargie qui peu à peu nous gagnait, faute de moyens
financiers ou juridiques pour nous sortir de cette impasse.

Un jour, pourtant, Mohand revint d'Alger avec de
bonnes nouvelles. Il était accompagné d'un ami français,
Olivier, qu'il avait connu à Paris et qui exerçait la
profession d'architecte.

Il prit la peine de nous le présenter, car Olivier acceptait
de nous loger dans un appartement qu'il possédait à El
Biar, un quartier très convenable de la capitale. Sur place
tous les trois, nous pourrions multiplier nos démarches
pour trouver des emplois.

Quelques jours plus tard, nous bouclâmes nos valises.
J'étais enchantée, vaguement troublée aussi. J'avais eu le
loisir d'observer Olivier pendant son court séjour à Ifigha
et je n'en croyais pas mes yeux. Ainsi, il existait des

hommes comme lui, courtois, posés, pleins d'attentions à l'égard d'une femme ? Il me regardait beaucoup et il me semblait que je ne lui étais pas indifférente. Je trouvais cela d'autant plus agréable qu'il était lui-même fort séduisant...

Cela dit, j'avais d'autres projets que le jeu de la séduction. Bien que je ne connusse pas Alger, à peine arrivée en ville, je répertoriai les numéros de téléphone des gens qui pourraient m'être utiles. Je trouvai rapidement la possibilité de reprendre des cours d'art dramatique, je rencontrai un directeur de la RTA — la Radio Télévision Algérienne —, ainsi que plusieurs personnes toutes prêtes à m'aider. Les propositions arrivèrent beaucoup plus vite que je ne l'aurais espéré. Je n'avais que l'embarras du choix pour faire mes débuts, soit à la radio, soit à la télévision où l'on m'offrait, pour commencer, un poste de speakerine ou de journaliste.

Heureuse comme tout, je partis annoncer la nouvelle à mon frère, en rentrant de mon dernier rendez-vous.

— Il n'en est pas question ! hurla-t-il. La RTA n'est pas un milieu pour toi, tu n'y entreras jamais ! Trouve autre chose.

J'avais quitté mon père et j'avais trouvé pire ! Mohand voulait que Martine et moi travaillions comme vendeuses aux Galeries Algériennes. Je n'ai aucun mépris pour le métier de vendeuse mais enfin, avoir fait les études que j'avais faites pour me retrouver derrière un comptoir des Galeries Algériennes, je trouvais cela absurde et encore une fois mon destin m'échappait.

Heureusement, sur ces entrefaites, je dénichai pour ma belle-sœur et moi deux places d'employées de bureau à l'hôpital Mustapha. Je préférais cela aux Galeries et mon frère ne fit pas trop de difficultés car c'était mieux payé, or nous n'avions plus un sou. Cependant, il fut catégorique :

— Je ne veux pas que vous ayez la moindre relation

avec vos collègues de travail : une mauvaise réputation est vite faite, par ici. Vous n'avez pas à bavarder avec eux, ni même à leur serrer la main pour leur dire bonjour ou au revoir.

Il parlait des hommes, bien entendu... Nous passions donc la journée le nez sur nos papiers, répondant à peine aux questions que nous posait le personnel masculin, persuadées que nos paroles et nos gestes seraient rapportés à Mohand.

C'est qu'Alger demeurait un village, d'une certaine manière. Les gens ne nous connaissaient pas tous, bien sûr, mais ils voyaient que nous arrivions de France et nous épiaient d'autant mieux. Nous étions à nouveau habillées à l'européenne. Nous ne portions certes pas la mini-jupe en vogue à Paris à ce moment-là, mais nous avions une certaine élégance et nous étions plutôt jolies. Les hommes nous dévisageaient dans la rue, ce qui mettait Mohand hors de lui. Comment les garçons osaient-ils lever les yeux sur nous, alors que nous étions accompagnées par lui ? Quant à sortir autrement que pour nous rendre à l'hôpital, il nous l'interdisait de plus en plus.

A la maison régnait une ambiance glaciale, sauf en cas de colère fraternelle. Autrement, pas un mot, pas un sourire, aucune communication en présence du maître des lieux. Les seuls instants de détente arrivaient quand nous nous retrouvions seules, Martine et moi. Nous évoquions alors notre vie parisienne, cette vie qui nous avait paru si douloureuse que nous avions voulu attenter à nos jours, mais dont nous convenions désormais que c'était le bon vieux temps. Nous nous désolions de concert, disant à tour de rôle :

— Il ne peut nous arriver pire.

Il allait m'arriver bien pire, pourtant...

Un après-midi, notre ami Olivier vint nous rendre visite. Mon frère était absent mais enfin, Olivier mettait cet appartement à notre disposition, le moins que nous pouvions faire était de lui offrir le thé.

Nous bavardions gaiement lorsque Mohand arriva, à l'improviste. Fut-il irrité par notre bonne humeur ? Son visage devint blême. Sans une parole, il me montra du doigt la salle de bains. Je m'y rendis sans trop savoir ce qu'il me voulait. Il m'y suivit et referma la porte. Là, il me gifla à toute volée, m'empoigna par l'épaule, me traîna dans le couloir, puis dehors et me fit monter dans sa voiture.

— Qu'y a-t-il entre Olivier et toi ? cria-t-il.

— Mais... rien !

J'avais à peine répondu qu'une autre gifle me cingla le visage. Je me mis à sangloter, jurant encore qu'il ne s'était rien passé de particulier.

— Cet homme a quelque chose pour toi ! insista mon frère.

Je lui expliquai le plus calmement possible qu'Olivier avait sans doute, en effet, un petit penchant pour moi et que, de mon côté, il ne me déplaisait pas.

Je venais de signer, sans le savoir, mon entrée en prison.

Le soir même, Mohand me transférait à Hussen Dey, un quartier très populaire, dans un studio qu'un de mes oncles maternels n'habitait plus. Etait-ce pour qu'Olivier perde ma trace ? En fait, l'obsession de mon frère allait bien plus loin que ce garçon : elle visait tous les hommes. Mohand m'interdit d'emporter la plupart de mes robes, qu'il jugeait trop courtes, alors qu'elles m'arrivaient sous le genou. Je dus me contenter de la seule jupe qui lui parut décente, et encore, après en avoir décousu l'ourlet afin de la rallonger. Cette jupe « sage » allait causer ma perte...

Dès lors, mon frère vint me chercher chaque matin dans mon immeuble délabré pour m'emmener à l'hôpital, vêtue à mi-mollets, selon son désir. Seulement la jupe de soie noire était vaporeuse et floue, je la portais avec un joli corsage blanc, très strict, et des escarpins vernis. Cela me donnait une allure de vamp des années trente et le résultat de l'entreprise se révéla diamétralement opposé aux espérances de mon frère : ma tenue insolite et charmante attirait désormais tous les regards.

Quand il s'en aperçut, Mohand perdit la tête. Il me fit quitter définitivement l'hôpital et il me sequestra dans le studio. Je n'étais pas à proprement parler enfermée à clé, mais où aller ? Rien que sortir de cet immeuble se révélait dangereux pour une fille de mon âge. Hussen Dey n'était pas très sûr, comme faubourg, les agressions y étaient fréquentes, les viols sans doute aussi... A qui, par ailleurs, aurais-je pu demander du secours alors que je ne connaissais pratiquement personne à Alger ? Aller trouver la police ? J'étais encore mineure et sous l'autorité de mon frère. Je restais donc des jours entiers dans cette pièce sordide, attendant que Mohand m'apporte de quoi manger, des restes pour la plupart du temps.

Il empêchait Martine de venir me voir, souhaitant mettre fin à notre relation trop complice à son goût. Il m'amenait seulement quelquefois sa fille Sabine, qu'il venait de faire revenir de Paris, accompagnée par un cousin. Martine travaillant dans la journée, il fallait confier le bébé à des voisins ou à des parents pendant les heures de bureau. J'étais au nombre de ces baby-sitters et je m'en réjouissais. Je cajolais cette petite enfant, espérant qu'elle ne vivrait pas les mêmes affres que moi, malgré ce père tyrannique.

Pour moi, je ne voyais plus de solution. J'étais emprisonnée pour avoir voulu non pas me dévergonder, mais vivre simplement selon mes aspirations culturelles. J'avais fait confiance à mon frère pour m'aider à réaliser mes ambitions et voilà qu'il dressait devant moi un mur de préjugés, cruauté en plus. Quant à Olivier, même si j'étais éprise de ce garçon, n'était-il pas un homme comme les autres ? Jamais mon frère, jusqu'ici, ne m'avait mise en garde contre le fait d'épouser un Français ou tout autre étranger. N'avait-il pas lui-même choisi pour épouse une Française ? Je finis par conclure que les réactions de Mohand relevaient non seulement de la traditionnelle autocratie du frère, mais peut-être aussi d'une sorte d'amour excessif et jaloux.

Quoi qu'il en soit, cet enfermement allait durer cinq mois. Cinq mois à ne pas échanger un mot avec qui que ce soit, à ne pas voir d'autres visages que ceux de Sabine et de son père, et encore, si rarement ! Des heures durant, je regardais la mer depuis le balcon du studio. L'envie me prit plusieurs fois de me jeter par la fenêtre et de mettre fin à mon calvaire. Mais la vie semblait la plus forte, je voulais qu'elle fût la plus forte, bien que j'eusse souvent la sensation de sombrer dans une espèce de folie.

Deux disques, miraculeusement laissés dans ce studio à moitié vide, m'aidèrent à surmonter le désespoir et l'égarement de ma raison : *Les Quatre Saisons* de Vivaldi et *l'Empereur*, le cinquième concerto de Beethoven. Je m'enivrais de cette musique, dessinant sur des bouts de papier les couleurs et les mouvements qu'elle m'inspirait.

Hors l'écoute de ces disques, le silence m'était devenu insupportable. Je n'avais pas de livres à lire. Alors je me mis à écrire des poèmes et à les chanter, ne serait-ce que pour entendre un son de voix : la mienne. Ma vocation d'auteur-compositeur-interprète est née de cette solitude cellulaire, au-dessus de l'horizon méditerranéen.

Parfois, je me souvenais que j'étais non seulement un poète solitaire, mais aussi une femme. Je regardais mon corps dans la glace, étonnée. J'avais oublié que j'avais un corps. Un corps de vierge, mais un esprit si vieux de souffrance, déjà...

D'autres fois, je me reprenais à espérer... Espérer un miracle. Je repensais à la prédiction d'un marabout que nous étions allées voir, ma grand-mère et moi, quelques mois plus tôt. Nous étions tout un groupe autour du vieux sage. Il s'était adressé brièvement à chacun, puis m'avait longuement regardée en disant :

— Ne t'inquiète pas. Les avions vont arriver cet été, ce sera un peu la fin de ta misère.

Les avions... Cela signifiait-il que je me retrouverais un jour de l'autre côté de la Méditerranée, moins maltraitée qu'ici ? J'écrivais dans ce but lettre sur lettre à mes parents. Je filais les poster en cachette, et en tremblant : je n'aimais vraiment pas sortir dans cette zone. Je suppliais mon père et ma mère de venir me chercher...

Je sus plus tard comment elles étaient reçues, ces lettres... Ma mère, de toute façon, n'avait pas plus droit à la parole que par le passé, les rapports entre son mari et elle ne s'étant pas arrangés, au contraire. Quant à mon père, il jubilait :

— C'est bien fait pour elle ! Elle a voulu partir, ça lui apprendra.

Il était très satisfait que mon frère me fasse ainsi souffrir, et m'isole des regards indiscrets. Cela prouvait qu'il remplissait son rôle et qu'il me tenait bien en main. Je lui écrivis encore et encore, lui demandant de signer au moins un papier pour m'autoriser à voyager et à rentrer chez eux, à Paris. Il refusa...

Un matin, pourtant, la porte du studio s'ouvrit à une heure où, généralement, Mohand ne venait pas. C'était mon père en personne ! Je l'accueillis avec enthousiasme, folle de reconnaissance, en me précipitant dans ses bras : il était quand même venu à mon secours.

Quelle naïveté ! Il était juste en vacances et voulait se rendre compte de la façon dont je vivais. Pas par compassion : pour vérifier.

Nous passâmes ainsi trois jours ensemble, sans nous dire grand-chose. Nos rapports avaient toujours été plutôt silencieux et il se contentait d'observer.

J'étais certaine, malgré tout, que cette observation lui inspirerait de la pitié. Personne ne venait me voir, je n'avais pas d'argent, je mangeais des miettes de repas, je ne sortais jamais, sans compter le danger qu'il y avait à vivre dans ce quartier mal famé.

Le troisième jour, pensif, il me demanda :

— Tu es donc complètement seule, ici ?

Il y avait une pointe de colère dans son intonation. Je pensais, avec un certain plaisir, qu'il allait sûrement passer un savon à Mohand pour m'avoir ainsi abandonnée. Je lui répondis que, bien sûr, j'étais seule : ne le lui avais-je pas écrit maintes fois ?

Il resta un moment sans rien dire, marchant de long en large. Sans doute allait-il me plaindre. J'étais décidément d'un optimisme inaltérable. Car soudain, furieux, il déclara comme s'il venait de faire une découverte :

— Mais alors, n'importe qui peut entrer et sortir, ici ! Ton frère est complètement irresponsable ! Il ne te surveille pas ! Tu peux même recevoir des hommes !

J'étais glacée de stupéfaction. Ainsi, loin de compatir, il me soupçonnait presque de me prostituer, comparant implicitement le studio à un bordel !

Le lendemain, il m'emmenait avec lui, sans ménagements, à Ifigha...

Mon frère se garda bien de venir nous y rejoindre, ayant déjà essuyé la colère paternelle à Alger, vu son « manque de vigilance » ! Mon père m'en voulait, on se demande de quoi, et ne se montrait pas tendre à mon égard. Néanmoins, le séjour eut du bon. Après avoir longuement réfléchi, et m'estimant mal surveillée, il décida de me ramener en France.

Je ne me tenais plus d'impatience. Les quinze jours passés au village me parurent un siècle. Je ne pouvais pas me sentir rassurée tant que je ne serais pas dans l'avion. Setsi Fatima n'avait pas eu besoin de me questionner pour deviner les épreuves que j'avais endurées : me regarder lui suffisait. Elle savait aussi, comme moi, que le retour à Paris sous la férule paternelle ne serait pas une panacée.

— C'est quand même mieux pour toi, me dit-elle quand enfin nous partîmes. Ici, tu n'as aucun avenir. C'est un pays de chacals. Vois ce que tu es devenue. Tu es d'une maigreur affreuse. Une poussière... Tu as la taille d'une brindille. Allez, va, ma fille, sois courageuse, que Dieu te garde.

Je la quittais donc une seconde fois, redoutant que ce soit pour toujours.

Le voyage en avion se passa en silence. Mon père regardait d'un côté, moi de l'autre... Je ressentis quand même un vif soulagement quand je posai les pieds à Orly.

Ma mère sembla contente de me voir, sans trop manifester d'émotion cependant. Quand son mari eut repris son travail, elle me fit part du statu quo de leur couple : mon père buvait toujours et frappait à l'envi. Mes frères et sœurs, eux, me parlèrent de Mai 68. Je ne savais rien de ces bouleversements. Mon Mai 68 à moi, je l'avais vécu enfermée dans un studio à Hussen Dey. Et j'ignorais encore, le soir de mon arrivée à Paris, que je venais de passer d'un univers carcéral à un autre. J'imaginais bien que tout ne serait pas rose, mais je pensais retrouver au moins mon existence d'autrefois, chercher un emploi et reprendre mes études.

Dès le lendemain, mon père mit les choses au point.

— Elle restera ici, dit-il à ma mère. Il n'est pas question qu'elle sorte. Jamais.

Je n'avais même pas le droit d'aller chercher le pain. Je n'osais pas m'esquiver en cachette : mon père continuait de travailler la nuit et restait chez nous toute la journée. Il dormait, certes, mais il pouvait se réveiller d'un instant à l'autre. Je passais donc vingt-quatre heures sur vingt-quatre au treizième étage de notre HLM de la Courneuve, aussi prisonnière qu'à Alger : j'avais juste changé de fenêtre. Les jours succédaient aux jours, les mois aux mois. J'aidais ma mère, je m'abrutissais de lecture : par bonheur, les livres n'étaient pas interdits. Je n'avais plus le cœur à chanter, je ne parlais d'ailleurs presque plus. Il m'arrivait de penser à Olivier, mon bel architecte, qui m'avait sans doute oubliée...

Cependant, Olivier remuait ciel et terre afin de me retrouver. Il apprit un jour, par je ne sais qui, que j'étais revenue en France. Il était lui-même de retour à Paris et il m'écrivit aussitôt. Je tombai Dieu merci sur sa lettre la première, évitant les questions paternelles.

Je mis ma mère dans la confidence, la suppliant de me laisser aller le voir. Si mon père se réveillait, tant pis : j'assumerais les conséquences.

C'est ainsi que nous pûmes nous rencontrer, Olivier et moi, pendant des mois, à la sauvette. Mon amoureux n'avait pas pu envisager une seconde ce que j'avais vécu à Hussen Dey, ni ce que je vivais désormais à Paris. Il se montra d'une attention et d'une patience infinies, acceptant nos rendez-vous furtifs, dans les cafés ici et là, ou plus souvent dans sa voiture, pas trop loin de chez moi pour que je puisse rentrer vite. Il dut se plier aussi à ma pudeur : nous vivions un amour on ne peut plus platonique. Je restais marquée, malgré tout, par les principes ancestraux : on ne « fréquente » pas un garçon avant le mariage.

Le mariage... Olivier n'était pas contre et, pour moi, l'idée se révélait soudain lumineuse : une porte de sortie m'était offerte. Si l'on me demandait, encore aujourd'hui, la part de stratégie et le rôle de l'amour dans mon intention d'épousailles, je serais incapable de répondre.

J'étais amoureuse d'Olivier, enchantée par ses manières, sa tendresse. Mais j'étais quand même en prison depuis maintenant plus d'un an et demi : il n'y a rien de surprenant à ce que mon désir majeur fût de m'évader, d'une manière ou d'une autre. Or, non seulement celle-ci s'avérait la plus séduisante, mais c'était la seule.

Je parlai du projet à ma mère, en lui demandant conseil. Que fallait-il faire ?

— Il est français, remarqua-t-elle...

— Oui, répondis-je, mais c'est un ami de Mohand, il est de famille modeste mais très correcte, il est architecte, et puis papa ne m'a jamais dit de ne pas épouser un Français.

— On peut toujours essayer, soupira ma mère. Que ce garçon vienne faire sa demande...

A ma grande surprise, mon père se montra presque aimable.

— Ecoutez, jeune homme, je n'ai rien contre le fait que vous épousiez ma fille, seulement nous sommes deux frères et nous avons l'habitude de prendre ce genre de décisions ensemble. Alors, si vous n'y voyez pas d'inconvénient, il faudrait que vous alliez demander à l'oncle de Djura son autorisation.

Et voilà Olivier qui reprend l'avion, car l'oncle habite la Kabylie !

— Vous savez, nous sommes maintenant dans une société évoluée, estime l'oncle. Si Djura et mon frère sont d'accord, eh bien... moi aussi.

Olivier adressa aussitôt à mon père une lettre... que nous nous empressâmes de décacheter à la vapeur, ma mère et moi, tant nous étions pressées de connaître le verdict. Nous nous réjouissions tellement que cette messagère du bonheur fît le tour de la famille. Après quoi, nous refermâmes l'enveloppe et nous l'apportâmes à mon père.

Il partit la lire dans sa chambre et ne fit aucun commentaire. Pas un mot, rien ! Il fit comme si cette missive ne venait pas d'Olivier, comme s'il n'avait jamais reçu sa lettre. Il se montra juste doublement méfiant à mon égard, m'épiant jour et nuit.

Je compris alors qu'il m'avait menée en bateau, qu'il s'était payé la tête d'Olivier, qu'il n'accepterait jamais que j'épouse un Français, que j'étais cloîtrée pour toujours : je décidai de m'enfuir.

M'enfuir avec le danger que cela comportait. Mon père, « déshonoré », déciderait sûrement de me supprimer. J'allais être bientôt majeure, certes, mais majeure aux yeux de la loi : pas de « nos » lois. J'étais une femme algérienne, donc une éternelle mineure. Mais j'étais prête à tout plutôt que de continuer à vivre ainsi.

J'exposai mon plan à ma mère, avec le secret espoir qu'elle pourrait me défendre, le temps venu, vis-à-vis de mon père.

— Tu sais, je ne pars pas pour suivre un garçon, je pars pour vivre de façon autonome. J'irai d'abord chez une amie...

C'était exact. Une ancienne camarade de l'école du spectacle, que j'avais pu joindre en secret, accepta de venir me chercher en voiture, une nuit...

Ma mère, jusqu'ici complice, se mit alors en travers de mon chemin, me frappa, essayant de m'empêcher de partir. Je suppose qu'elle craignait les représailles paternelles.

Elle n'avait pas tort. Quand mon père rentra le lendemain matin et s'aperçut de mon absence, il prit un revolver et partit comme un fou en hurlant : « Je vais la tuer, je vais la tuer ! » Puis, ne sachant où me trouver, il revint se venger sur sa femme, l'accusant de m'avoir mal élevée, la corrigeant pour cette faute.

Je connus ces détails quand je revis ma mère et ma sœur

Fatima en cachette, par la suite, de temps en temps, dans un café ou sous un porche. J'avais alors trouvé un poste d'hôtesse d'accueil et repris, parallèlement, des cours à l'université de Vincennes, dans la section « cinéma ». Je logeais dans une chambre de bonne, à la grande surprise d'Olivier qui me disait sans cesse :

— Pourquoi ne viens-tu pas habiter chez nous ? Mes parents t'aiment beaucoup, ils sont prêts à te recevoir.

Il avait en effet un père et une mère adorables, tout disposés à m'adopter. Mais moi, empêtrée dans mes vieux principes malgré ma révolte permanente, je ne voulais pas qu'il fût dit que j'étais partie « avec un homme ». Je voulais prouver à mes parents que j'étais restée une fille « honorable ».

Cette obsession gâcha ma première nuit d'amour avec mon « fiancé ». Honneur ou pas, je ne pouvais tout de même pas continuer de me refuser à ce garçon. J'acceptai donc, un soir, de dormir chez ses parents, avec lui.

Je me croyais émancipée : j'abordais cette rencontre intime avec le poids de tous les tabous. J'allais perdre ma virginité hors les liens du mariage.

J'imagine à quel point cette réaction peut paraître anachronique mais c'était ainsi. Le contenu symbolique de la virginité poursuit chez nous la jeune fille dès qu'elle se trouve pubère. Le lendemain des noces, les draps tachés du sang virginal sont exposés à la fenêtre, prouvant à tous la vertu de la nouvelle épouse. Quant à se rendre coupable d'actes sexuels avant la cérémonie nuptiale, on m'avait assez expliqué, à Ifigha, que c'était sanctionné du châtiment suprême, même si la fille avait été violée !

Toutes ces pratiques me revenaient en mémoire, inconsciemment, mais ce n'était pas vraiment cela qui me rendait malheureuse : c'était que désormais, je ne pourrais jamais démontrer à mon père que j'étais restée jusqu'ici sérieuse, qu'il aurait dû me faire confiance.

95

J'étais d'autant plus déroutée qu'Olivier n'attachait pas de réelle importance à cette marque de sagesse gardée si précieusement.

Cela dit, j'eus tôt fait de m'épanouir dans le domaine sensuel. Si quelque chose avait dû me bloquer, ç'aurait été juste la violence. Jamais je n'aurais pu me sentir à l'aise dans les bras d'un homme semblable à mon père, ou à mon frère, ou à tant d'autres maris : tortionnaires le jour, et qui vous fabriquent des enfants la nuit. Or Olivier était un compagnon d'une douceur extrême, gentil, courtois, très amoureux. Pendant près de cinq ans, il a eu tout le loisir de m'apprivoiser...

L'année 1970 se passa dans l'angoisse. La peur de rencontrer mon père ne me quittait pas. Je croyais le voir partout, je me retournais à chaque instant dans la rue, je sursautais dès que j'entendais le moindre pas devant la porte de ma chambre.

Je rencontrais ma mère de plus en plus souvent, le soir tard. Je lui remettais une grande partie de ma paye, pour l'aider à faire quelques économies. Ma fuite lui avait-elle donné des idées ? Elle aussi envisageait de quitter le domicile conjugal, avec ses enfants, ou quelques-uns d'entre eux. Dans ma frénésie de libérer tout le monde, je lui promis de la prendre en charge, quand elle serait prête...

— Pour l'instant, prends garde, disait-elle. Ton père te cherche, il est armé.

Cette terreur quotidienne finit par m'être insupportable. Je n'allais pas vivre comme un condamné en cavale jusqu'à la fin de mon existence ! Un matin de grand courage, je décidai de jouer le tout pour le tout, c'est-à-dire d'affronter l'auteur de mes jours.

Je me rendis à la gare du Nord, où il prenait, très tôt, son train pour la Courneuve. Arrivée dans le hall, je faillis renoncer, la frousse au ventre. Mais je ne pouvais pas croire, finalement, qu'il allait me tirer dessus, comme ça, en public. J'allai donc me poster en haut des escaliers, pour être sûre de ne pas le manquer. Bientôt je l'aperçus de loin, son cartable à la main, l'air sombre, préoccupé. J'eus l'impression que mon corps se vidait de son sang, mes mains étaient moites, je pouvais à peine respirer.

Quand il me vit, il ne parut pas surpris. On aurait dit qu'il m'attendait. Pas de revolver, pas de gifle. Je faillis l'embrasser, mais je n'osai pas.

— Bonjour, papa...

Il eut un léger sourire et me prit par le bras comme pour m'entraîner sur le quai :

— Rentre à la maison !

Le ton s'avérait menaçant. Ainsi donc, il n'avait rien compris. Il croyait simplement que je venais demander pardon avant de revenir au bercail. Je me redressai de toute ma hauteur et lui demandai bravement :

— Il paraît que tu veux me tuer ?

— Allez, viens ! insista-t-il en me poussant légèrement.

— Je ne peux pas venir maintenant parce que j'ai un cours dans une heure, dis-je. Mais nous pouvons aller discuter dans un café.

Il resta un instant stupéfait. « Dans un café », traditionnellement interdit aux filles, avec lui, mon père ? Il accepta néanmoins, toujours persuadé que si je me trouvais là, c'était que j'avais capitulé.

Nous voilà donc boulevard Magenta, dans un troquet aux banquettes de moleskine rouge, moi demandant des nouvelles de mes frères et sœurs, de ma mère, de la famille...

— Ça va, grogna-t-il... Mais, tu sais, c'est ta mère et tes

oncles qui me poussent à te faire avaler ton extrait de naissance. Si tu rentres à la maison, il ne t'arrivera rien.

Il avait proféré cette promesse de mansuétude, doublée d'une menace très claire, avec un air victorieux, ravi d'avoir sa proie à sa merci.

Je pris conscience alors, définitivement, que jamais nous ne pourrions parvenir à la moindre entente. D'abord parce qu'il mentait : ma mère et mes oncles ne l'avaient nullement encouragé dans son besoin de vengeance. Ensuite parce que je sentais bien que rien ne le ferait changer d'avis : je devais rentrer — rester à la maison, un point c'est tout.

Alors je mentis à mon tour. Je lui promis de revenir à la Courneuve le lendemain. Je me levai, je l'embrassai sur les deux joues et je lui dis : « A bientôt, papa. »

Je ne devais le revoir que seize ans et demi plus tard : sur son lit de mort.

Peu de temps après, mes parents se séparèrent. Ou plutôt ma mère déménagea, comme moi, en pleine nuit avec cinq de ses enfants. L'appartement que nous avions trouvé pour eux, Olivier et moi, s'avérant trop petit pour huit personnes, nous étions convenus que Fatima et Belaïd, vingt et dix-sept ans, resteraient à la Courneuve et partiraient plus tard. Fatima savait assez bien s'y prendre avec mon père, quant à Belaïd, c'était un garçon, il n'aurait pas trop de problèmes.

On a embarqué à toute vitesse les vêtements et les livres de classe dans une camionnette louée par Olivier, et on s'est sauvés comme des cambrioleurs.

Ma mère n'avait jamais été employée de sa vie et, au demeurant, les enfants qu'elle emmenait avec elle — âgés de quatre à treize ans — réclamaient ses soins. Elle aurait pu faire quelques ménages, mais je ne le voulais pas. Je souhaitais l'épargner, la consoler de toute cette souffrance qu'elle avait subie. Je devins donc chef de famille...

Je travaillais comme une forcenée, au bureau et à domicile. Je m'étais fixé pour but d'élever mes frères et sœurs jusqu'à leur majorité, et de m'occuper de ma mère jusqu'à la fin de ses jours. Je ne me rendais pas bien compte du poids de cette décision sur mes épaules de jeune femme. Je payais le loyer de l'appartement, que nous avions mis au nom d'Olivier, car une ribambelle d'enfants arabes nantis d'une mère analphabète et sans emploi n'inspirait confiance à personne. J'allais aux halles tôt le matin pour économiser sur le prix de la nourriture, j'achetais les habits en solde, ma mère se chargeant de les remettre à la taille des bambins successifs.

Je devais également suivre la scolarité des petits, et leur évolution psychologique. Ma mère, heureuse d'avoir échappé au joug conjugal, s'avérait néanmoins incapable de prendre sa progéniture en main sur le plan social et scolaire. Je devins pour sa descendance une maman de rechange, plus le père de remplacement.

Ce n'était pas facile. Amar, un de mes petits frères, me donnait du souci. Déjà, à la Courneuve, la fréquentation des jeunes délinquants lui avait valu des études troublées. Il continuait ses frasques. Je dus plusieurs fois le récupérer au commissariat pour des vols de parapluies ou autres babioles. Puis il se mit à fuguer, fut renvoyé de l'école. Au vu de son carnet de classe, aucun établissement public ne voulait plus l'accepter. Je dus l'inscrire à un cours privé qui acheva de me mettre sur la paille.

Malha, ma sœur, se révoltait en permanence contre ma mère. Hakim et Djamel, et même Djamila la petite dernière, subissaient le contrecoup d'une enfance dans les rues de la cité des Quatre Mille, d'un père alcoolique et d'une maman abrutie de coups.

Je gardais néanmoins l'espoir d'en faire des êtres humains épanouis, dotés d'un métier sympathique. Rien ne me serait impossible, pourvu que j'aie la santé.

Or j'avais une santé en béton... et un cœur en guimauve. Rien n'avait changé en moi depuis mes douze ans. J'adorais mes frères et sœurs comme si je les avais mis au monde, je tremblais dès que l'un d'eux tombait malade, je me dépensais sans compter. Ma mère entretenait habilement ce courage :

— Avec Djura, disait-elle, c'est comme si j'avais dix hommes !

Il n'en fallait pas plus pour que je me surpasse. J'étais sûre d'avoir enfin gagné l'amour de celle qui m'avait refusé son lait. J'eus l'occasion de me rendre compte, par la suite, que ce bel amour à retardement ne représentait en réalité que le sens du confort.

Le seul amour véritable dont je pouvais me féliciter à coup sûr était celui d'Olivier. Il s'efforçait de comprendre la situation, me soutenait moralement, acceptait le folklore familial, bon gré mal gré. Il donnait son aval pour les appartements successifs sans jamais rechigner. Car nous changions souvent de domicile. Nous avions quand même mon père aux trousses, plus résolu que jamais à nous faire payer notre fuite, à ma mère et à moi. Ma famille maternelle nous avertissait quand il avait retrouvé notre trace, et nous déguerpissions de nouveau, conduits par mon « ami » qui n'était toujours pas devenu mon époux : ma mère ne souhaitait pas ce mariage. Peur du qu'en-dira-t-on ?

— Tu comprends, expliquait-elle, si tu te maries maintenant, les gens vont être persuadés que c'est depuis que je me suis séparée de mon mari que je t'ai donné la permission d'épouser un Français.

Un Français... Elle ne se rendait même pas compte de son propre racisme, ni de l'offense qu'elle faisait implicitement à Olivier, lequel m'aidait plus d'une fois à boucler mes fins de mois, bien qu'il ne gagnât pas des fortunes, en tant qu'employé dans un cabinet d'architecture.

La seule chose qu'elle accepta, au bout d'un certain temps, fut que nous vivions ensemble, lui et moi. « Du moment que cela ne se sait pas... » Nous nous sommes donc installés d'abord chez les parents d'Olivier, puis dans un petit appartement, tout en continuant de nous occuper de l'appartement maternel, et de toute la maisonnée.

Mon frère revint sur ces entrefaites pour sermonner mes parents et tenter de les raccommoder. Je me gardai bien de le recevoir chez moi, et personne ne lui communiqua mon adresse. Je le rencontrai chez maman. Il en profita, bien sûr, pour me battre comme plâtre.

Mes parents se remirent ensemble un trimestre, et le carnage reprit. Re-déménagement, moi rappelée au secours, reprenant l'éducation des gosses et tout... Mais cette fois ma mère demanda le divorce. Mon père, qui venait de perdre son emploi, se retrouva au chômage, d'autant plus disponible pour l'alcool. Son état d'ébriété quasi permanent le mettait dans une sorte d'indifférence qui fit qu'il se montra moins déterminé dans ses recherches, tout en continuant de proférer des menaces à notre endroit.

L'embellie de l'histoire, c'était la Faculté de Vincennes, que je trouvais le temps de fréquenter, le soir, avec Olivier. Hors ses occupations d'architecte, en effet, Olivier s'intéressait comme moi au cinéma. Vincennes, à l'époque, était en révolution toujours renouvelée. Je faisais miennes les luttes contre le racisme, pour une meilleure égalité sociale et pour l'amélioration de la condition féminine. Je n'étais inscrite à aucun parti mais je militais pour la justice et pour la liberté sous toutes ses formes.

Nous eûmes la chance d'avoir d'illustres professeurs, comme Gilles Deleuze et Jean-François Lyotard, qui devinrent autant de maîtres à penser. En matière de cinéma, les choses bougeaient aussi. Olivier et moi suivions les mêmes cours. C'était formidable de partager la même passion, les mêmes ambitions, les mêmes espoirs.

Notre premier projet commun fut de réaliser un reportage photographique sur le thème de l'utilisation de la couleur dans l'architecture algérienne. Notre but revenait à démontrer que cette architecture dite primitive avait finalement influencé des artistes on ne peut plus modernes comme Le Corbusier. Pour mener à bien cette vaste entreprise, il nous fallait évidemment parcourir l'Algérie et réunir assez de documents afin de pouvoir faire un court métrage, en refilmant plus tard nos diverses photos. Nous décidâmes que ce seraient là nos vacances.

Des vacances périlleuses, évidemment, car enfin, mon frère aîné se trouvait toujours à Alger. Pourrions-nous échapper à ses griffes ?

Olivier estima qu'il valait mieux l'affronter. Comme je ne pouvais quitter mon travail qu'un mois après les propres congés de mon compagnon, il voulut partir en éclaireur, se faisant fort de renouer avec mon frère des relations acceptables. Mohand était devenu photographe. Il préparait même un livre sur l'intérieur des maisons kabyles. Peut-être nos similitudes d'objectifs nous rapprocheraient-elles ? Olivier prit son matériel, sa vieille 404, et se mit en route...

Sa première visite fut pour Mohand, qui le reçut... à bras ouverts, s'étonnant que je ne l'accompagne pas.

Olivier m'écrivit aussitôt pour apaiser mes craintes. Mohand, apparemment, considérait notre liaison comme désormais « officielle ». Le temps avait passé, il ne m'en voulait plus. Il avait même logé Olivier dans le studio de Hussen Dey, de triste mémoire, mais qu'il avait transformé depuis en laboratoire photo.

Je n'en croyais pas les lettres de mon cher voyageur : j'allais retrouver un frère amical, ainsi que mon amie Martine. Olivier et moi allions pouvoir mener à bien ce premier reportage, et tenter une nouvelle expérience dans cette Algérie toujours aussi chère à mon cœur.

Mon frère et Olivier vinrent m'attendre à l'aéroport. C'est le regard de Mohand que j'ai cherché en premier. Il m'adressa un large sourire qui me fit oublier mes griefs révolus.

On s'embrassa, et Mohand nous emmena dîner dans son appartement. J'y retrouvai Martine et mon oncle maternel, qui habitait Alger et que j'aimais beaucoup. Ce dernier devait aller chercher sa sœur à l'avion, en fin de soirée. Elle arrivait aussi de Paris et, comme elle ne pouvait se rendre en Kabylie le soir même, il avait été convenu qu'elle coucherait chez mon frère, et nous dans le studio d'Hussen Dey, où Olivier s'était déjà installé.

— Peux-tu emmener mon oncle à l'aéroport ? demanda Mohand à Olivier après le repas. Tu nous déposeras, Djura et moi, au studio : j'en profiterai pour lui faire visiter le labo-photo. On vous attendra là-bas, et puis tu nous ramèneras ici, l'oncle, la tante et moi : D'accord ?

Nous partîmes donc tous dans la voiture de mon ami. C'était délicieux de rouler dans Alger par cette belle soirée estivale. Mon frère nous faisait redécouvrir les divers quartiers, commentant son futur livre sur les maisons kabyles, se renseignant sur notre propre vision de l'architecture locale. Je me sentais heureuse, libérée des tensions d'autrefois.

Quand Mohand et moi descendîmes en bas de l'immeuble d'Hussen Dey et que je vis s'éloigner mon oncle et Olivier, j'eus pourtant une crispation de tout mon être. Le souvenir des mois pénibles passés dans le studio? La crainte tenace que j'éprouvais encore, inconsciemment, devant mon frère? Rien ne justifiait cette appréhension, cependant. Malgré cela, le malaise augmenta tellement, quand nous fûmes dans l'escalier, que je faillis m'enfuir.

Trop tard... Mohand vient d'ouvrir la porte du studio, la referme sur nous, sort un couteau de sa poche et me déclare froidement :

— Maintenant, tu vas mourir.

Sans que j'aie le temps de proférer un mot, il me jette sur le lit, me frappe de toutes ses forces, me fait presque éclater le nez. Mon chemisier blanc et ma jupe bleu ciel sont bientôt couverts de sang. J'éponge mon visage avec mon foulard, qui de blanc devient rouge lui aussi. Je bafouille :

— Mais enfin, tu as reçu Olivier, tu étais au courant. Tu lui as dit que...

Les coups me font taire aussitôt. Mohand est maintenant assis près de moi, sur le lit, tripotant son couteau, savourant ma terreur.

— Tu aimes ce garçon? Eh bien tu vas mourir à cause de lui...

C'est fou mais... ma première pensée fut pour ma mère. Qu'allait-elle devenir, sans ressources, humiliée par le fait que sa fille avait été assassinée par son propre fils?

Puis, dans une sorte de brouillard, j'entrevis l'étendue de ma naïveté. Jamais je n'arriverais à m'en sortir ! J'avais beau abattre des tonnes de travail, donner tout l'amour possible alentour, je revenais toujours à la case départ : mon père et mon frère, deux hommes qui voulaient ma peau. Que désiraient-ils, en effet, à part ma mort ? L'impossible... Que je me marie, mais pas avec un étranger. Que je travaille, mais en leur rapportant mon argent sans jouir de la moindre liberté. Que je m'abstienne de prendre toute décision, et surtout que je ne dispose pas de mon corps.

Mohand exhibait avec des gestes déments des photographies qu'Olivier avait prises de moi, en robe très décolletée.

— Pour ça aussi, tu vas mourir !

Il avait fouillé dans les affaires de mon ami. Il avait tout prévu, tout préparé. Et moi j'étais tombée à nouveau dans son piège ! Il faut dire qu'au jeu de la fourberie, il s'était surpassé, cette fois-ci. Je m'étais livrée à lui avec le sourire, et maintenant je pleurais à gros sanglots. Ce n'étaient plus des larmes de colère, ni même de douleur, c'étaient des sanglots de désespoir, de fatigue extrême, d'humiliation. Je n'essayais même plus d'argumenter, j'écoutais sans les entendre les vociférations de mon frère, je ne le regardais pas, préférant ne pas voir quand et où viendrait le coup de couteau. Je le laissais se repaître de ma frayeur panique, de mon renoncement, de ma déchéance...

Puis je tentais encore de me justifier, sans illusion mais histoire de « faire traîner », de gagner du temps, jusqu'à ce que les autres reviennent.

Mais personne ne venait. J'appris par la suite que ma tante ayant loupé son avion, mon oncle et Olivier avaient attendu un second vol, puis téléphoné à Paris pour finalement apprendre qu'elle partirait un autre jour. Pendant ce temps, je vivais une éternité d'angoisse...

Soudain, j'entendis des pas dans le couloir. Je sautai

vers la porte. Mohand me retint brutalement avec cette phrase ridicule :

— Pas un mot de cette histoire !

Il n'y avait pourtant pas besoin de parler : j offrais à moi seule un spectacle édifiant... Mon oncle r e manifesta pas de réelle surprise : un frère qui corrige sa sœur et lui fait saigner le nez en cognant n'était pas si exceptionnel sous nos climats. Olivier, lui, demeura interdit. Il m'avoua plus tard n'avoir rien osé faire, attendant un geste de moi. Mais mon frère ne nous laissa pas le loisir des explications.

— Bon, on s'en va, dit-il avec un sourire innocent.

Et il m'entraîna par le bras, priant poliment Olivier de les raccompagner chez eux, l'oncle et lui.

Le trajet s'effectua dans un silence pesant. Olivier conduisait, mon oncle à ses côtés, Mohand et moi derrière. On déposa d'abord l'oncle, qui ne prolongea pas les adieux, puis Olivier arrêta sa voiture devant l'immeuble de Mohand, attendant que celui-ci prenne congé à son tour.

Mais voilà que mon frère ouvre la portière de mon côté en s'écriant :

— Toi, descends et rentre à la maison !

Mon père... Les mêmes mots que mon père, quelques mois plus tôt. La même perspective : les quatre murs, la mainmise, le mutisme, la séquestration, la peur...

Sans réfléchir, je me mets à hurler :

— Non, je ne descendrai pas !

Mohand brandit alors de nouveau son couteau et me fend la lèvre inférieure. J'ouvre la portière pour m'enfuir, mon frère me suit et cherche à me rattraper. Nous tournons en courant autour de la voiture. Olivier tente de s'interposer.

— Toi, tu ne bouges pas ! crie mon frère. Tu as dépucelé ma sœur, cette s..., cette p...

Il nous traite de tous les noms. Olivier fait ce qu'il peut mais il n'est pas karatéka et nous ne sommes pas dans un film. Moi, je me défends comme une furie :

— Non, je n'irai pas chez toi ! Il faut appeler la police.

Comme si la police pouvait me sauver, dans un pays où une fille qui se rebelle est automatiquement réputée coupable.

Le gardien de l'immeuble, alerté par le bruit, fait alors irruption dans la scène.

— C'est ma sœur, indique simplement mon frère.

Et c'est amplement suffisant ! Sans s'inquiéter des raisons de notre querelle, ni du sang qui macule mes vêtements, le gardien m'empoigne par l'épaule et se met à hurler à son tour :

— Bon, toi, rentre à la maison !

Décidément, ils n'ont que ce mot-là à la bouche, les hommes, par ici. Je me débats contre ce gardien polyvalent qui essaie de m'empêcher de remonter en voiture. Mais mon frère, tout à coup, lui fait signe d'arrêter. Est-ce que ma menace d'avertir la police a quand même fait son effet ?

— Laisse-les partir, dit Mohand. De toute façon, je les retrouverai.

Puis, s'adressant à moi :

— Tu entends ? Où que tu sois, où que tu ailles, même si c'est en Amérique, même si c'est dans dix ans ou plus tard, je te retrouverai et je te tuerai.

Olivier démarre en trombe...

Quelques kilomètres plus loin, Olivier arrêta la voiture et me prit dans ses bras : nous n'avions pas échangé une seule parole.

— Tu regrettes de m'avoir rencontré, n'est-ce pas ? demanda-t-il avec une tristesse infinie.

Je hochai la tête en pleurant :

— Non. J'ai sans doute choisi la difficulté, voilà tout.

Nous filâmes à toute vitesse au studio, pour récupérer le matériel photo. Arrivée là, je changeai de vêtements, je me lavai le visage et je fixai un pansement sur ma lèvre qui saignait toujours. J'avais les yeux gonflés, la bouche fendue, un nez de boxeur : j'étais défigurée.

Un grand drap étendu par terre nous permit de faire notre paquet : appareils de photographie, caméra, papiers et habits. Nous prîmes aussitôt la fuite dans la nuit. J'allais dire : comme d'habitude...

Nous avons roulé longtemps, sans mot dire, puis Olivier me dit :

— Tu veux qu'on retourne en France ?

Hébétée, je répondis « oui ». Olivier stoppa la voiture, nous étions l'un et l'autre épuisés : nous avons sombré dans le sommeil, pendant quelques heures, sur le bord de la route.

Je me suis réveillée comme on sort d'un cauchemar. Sauf que ce n'était pas un cauchemar : les preuves étaient là, sous mes yeux. Le drap et nos affaires en vrac, moi tuméfiée, boursouflée de partout, méconnaissable. Pourquoi le sort s'acharnait-il ainsi ? J'avais tout : la jeunesse, la santé, la beauté, le courage, l'enthousiasme. Je ne revendiquais que le droit de circuler, d'admirer le paysage, de faire mes petites photos, et de réaliser ma première œuvre artistique à la gloire de l'Algérie. Tout cela devait-il se révéler impossible ?

Eh bien non, décidément non. Quoi qu'il se fût passé, je ne renoncerais pas. Le bélier que je suis continuerait de foncer. Nous avions eu un mal fou à réunir les fonds nécessaires à ce voyage, à obtenir les autorisations de photographier ou de filmer, et nous allions abandonner parce qu'une seule personne — mon frère — s'opposait à notre aventure ?

— Nous ne repartons pas en France, annonçai-je à mon compagnon. Nous n'allons pas rentrer bredouilles, comme ça, sans rien sur nos pellicules. On continue.

Olivier sourit, m'embrassa tendrement, et remit en route notre bonne vieille Peugeot.

C'est peu de dire qu'il est beau, mon pays... Je le découvrais, extasiée, de la côte djidjellienne en passant par Bougie, Collo, la Calle, jusqu'au sud. Bou Saâda, Biskra, les sept villes du Mzab, le désert, El Oued, Togghourt : tel fut notre itinéraire.

Nous roulions et filmions le plus vite possible, certains que mon frère nous cherchait. Nous avons bien sûr évité la Kabylie et j'ai dû renoncer à venir embrasser Setsi Fatima : à Ifigha, nous étions certains de nous faire repérer. Mais nous vîmes d'autres merveilles, d'architecture et de paysages. Nous dormions à la belle étoile, ce qui est fort agréable au mois d'août, hors quelques agressions ou tentatives de vol dont nous nous sommes plutôt bien sortis. Il faut dire qu'on avait eu pire...

Les villages se montraient accueillants. Les gens semblaient parfois intrigués de me voir en compagnie d'un étranger. Un jour, un brave homme me demanda :

— Dis, toi, tu es sa dame à lui ?

Nous éludions les questions indiscrètes en parlant de notre travail. Nous portions nos appareils photo en bandoulière : cela faisait très « reporters ». Les habitants n'aiment guère se faire photographier, surtout dans la campagne, chez nous. Mais comme notre objectif fixait plutôt les choses, on nous laissait tranquilles. Nous avons fait ainsi notre provision de maisons anciennes, de devantures de magasins, de portes décorées, de fontaines et de mosquées plus somptueuses les unes que les autres. Nous mangions de manière fantaisiste, un gâteau ici, un plat de semoule ailleurs. J'ai encore dans la bouche le goût des beignets de miel que nous avons dégusté dans la casbah de Constantine. Et des glaces créponnées de Collo, une des plus belles villes d'Algérie, où la montagne se jette dans la mer.

A El Oued, nous pûmes admirer le pays des mille coupoles qui semblent sortir de terre comme autant de sculptures. Le désert s'étendait à nos pieds.

Le désert... Des kilomètres interminables, un mélange de fin du monde et de promesse d'éternité. Un reflet de mes états d'âme ? Quelle que soit l'exaltation ressentie dans ce pays magique, je traînais partout avec moi l'impression d'une brisure irrémédiable, la pesanteur du point de non-retour, quand les choses sont allées trop loin. Aucun rapprochement ne serait désormais possible entre Mohand et moi. Mais pourquoi m'avait-il fait cela ? Puis je repensais à mon père, exilé lui aussi — par son entêtement — de ma propre existence. Dieu sait pourtant si j'avais eu des élans de cœur vers ces deux-là, sans les émouvoir une seconde. Etaient-ils dénués de tout sentiment ? L'amour paternel ou fraternel resterait-il pour eux lettre morte ?

Je regardais alors défiler cette immensité désertique, monotone, lancinante et cependant superbe, inspirant le respect, la sérénité. Je me dis que la réponse à toutes ces questions, disons plutôt la solution de mes problèmes, était peut-être là : dans la poésie des choses et la route poursuivie. Je me trouvais devant un choix, comme si je contemplais deux plateaux d'une balance. D'un côté, un plateau lourd de haine, de jalousie, de bassesse et de luttes ancestrales ; de l'autre, un plateau de sagesse, d'ouverture sur les autres, de générosité, de paix. Je penchai de ce côté-ci. Je regardai Olivier, attendrie. Il avait l'air heureux, et terriblement fatigué.

C'est que nous brûlions les étapes. Malgré l'émotion ressentie devant nos découvertes et l'ardeur créative que nous mettions à notre ouvrage, nous subissions l'épuisement d'une véritable course contre la montre. Nous redoutions d'être poursuivis. C'était beau, magnifique, sublime, soit ! Mais... plus vite nous serions rentrés, plus vite nous serions hors de danger. Au moins de danger imminent. Nous mettrions la mer entre Mohand et nous. J'essayais d'oublier que sa dernière menace avait fait fi de toutes les frontières, et même des océans.

Nous sommes arrivés à Paris fourbus, et moi dans un état pitoyable. Ma lèvre se cicatrisait peu à peu, mais j'avais fait des allergies partout, à la suite du choc insoutenable que m'avait infligé mon frère. J'étais couverte de boutons, j'avais des démangeaisons jusqu'au bout des doigts. On appela le médecin qui nous examina tous les deux et qui, pour couronner le tout, nous annonça la grande nouvelle :

— Vous avez attrapé la gale. Mais rassurez-vous : en deux jours, ce sera terminé.

J'ai regardé par terre et je me suis mise à rire comme je n'avais pas ri depuis lontemps.

— Maintenant, il faut monter le film, me dit gentiment Olivier.

Je me remis donc au travail, guérie de la gale mais pas de la peur. Une peur de chaque instant, qui ne devait pas me quitter des années durant, une peur qui désormais faisait partie de moi. Les paroles de Mohand restaient imprimées dans ma tête : « Où que tu sois, même dans dix ans, je te retrouverai et je te tuerai. » Finalement, je le craignais davantage que mon père, bien qu'il vécût à plus de mille kilomètres de chez nous, alors que mon père était à Paris.

A chaque pas dans la rue, je croyais l'apercevoir. Inimaginable, le nombre de personnes que j'ai prises pour lui ! Ma mère, d'ailleurs, entretenait cette hantise avec une curieuse insistance. Chaque fois qu'elle passa des vacances en Algérie dans les étés qui suivirent notre voyage, elle revint avec sa provision de mises en garde. Là-bas, j'étais devenue un sujet tabou : Mohand ne tolérait pas que l'on parle de moi en sa présence. Lui, en revanche, ne se privait pas de renouveler sa promesse de venir m'achever un jour à coups de couteau. Le pire, pour moi, fut de devoir renoncer à partir aux obsèques de Setsi Fatima. J'avais déjà dû éviter Ifigha lors de notre reportage, mais là, je me sentais prête à braver le péril pour revoir une dernière fois ma grand-mère. Tout le monde, dans la

113

famille, m'en dissuada : jamais mon frère ne me laisserait impunément remettre les pieds dans mon village natal. La femme qui m'avait donné le plus de bonheur partit donc sans que je puisse lui rendre l'ultime hommage. Mais son âme est toujours auprès de moi...

Heureusement, à Paris, mes multiples activités empêchaient ma panique sous-jacente de se transformer en névrose. Je vivais avec ma peur mais je vivais... à cent à l'heure. Nous avions terminé notre court métrage, Olivier et moi. Il s'appelait *Algérie Couleurs* et il avait été sélectionné au festival de Mannheim, en Allemagne. Aussitôt, nous nous attaquâmes à *Ciné-Cité*, un document assez sophistiqué sur la Ville, « revue et corrigée » grâce à l'art cinématographique. Trois ans plus tard, nous commencions un grand film sur la condition des travailleurs immigrés en France. Il aurait pour titre *Ali au Pays des Merveilles* et demandait de longues interviews, de nombreux repérages et mille négociations avec les Maghrébins vivant sur le sol français pour obtenir de filmer le plus de réalisme possible, sans pour autant trahir ni déformer la vérité.

Bien entendu, *Algérie Couleurs* et *Ciné-Cité* ne nous avaient pas permis de gagner assez d'argent pour que je cesse mon travail de bureau. La paye n'était pas énorme et les journées me paraissaient interminables, mais le soir arrivait comme une récompense : plusieurs fois par semaine, en effet, je me rendais à l'université de Vincennes pour finir de préparer ma licence de cinéma.

Le climat de la fac et mes débuts de réalisatrice m'aidaient à surmonter la plus lourde de mes tâches : la prise en charge de ma mère et de mes frères et sœurs. Les enfants devenaient très durs. Je passais mon temps libre — matins, soirs sans Faculté, week-ends — à leur faire la morale, à éviter leurs fugues et autres bêtises. Je les incitais à pratiquer des sports, j'inscrivis certains au conservatoire local pour les éloigner des mauvaises tentations qui ne manquaient pas dans les banlieues populaires où se trouvaient nos logements successifs. Djamel, en particulier, me donnait bien du mal, affichant une nette prédilection pour tout ce qui était marginal.

En 1974, nous avons déménagé dans un appartement un peu plus confortable que les précédents, dans une HLM d'Epinay-sur-Seine. Ma mère n'était pas contente : elle rêvait d'un pavillon. Je lui promis de lui trouver un jour une maison, dès que j'aurais suffisamment de moyens. Elle fit la moue...

Elle devenait de plus en plus maussade, pour ne pas dire totalement dépressive. Je l'accompagnais à longueur de mois chez le médecin, courant d'un spécialiste à l'autre, multipliant les examens qui se révélaient tous négatifs, chacune de ses nouvelles maladies étant uniquement psychosomatique.

Elle aurait pourtant dû mieux se porter dès 1974 : son divorce avait été officiellement prononcé, mon père était reparti pour l'Algérie, s'y était remarié, faisant de nouveaux enfants sans jamais plus s'occuper de nous. Ma mère n'avait rien à craindre de lui, désormais, et moi j'étais libérée d'une partie de ma peur : celle qui le concernait.

Cela dit, comme mon père omit toujours de payer à maman la moindre pension alimentaire, tout continuait de retomber financièrement sur moi. Les allocations familiales des enfants les plus jeunes ne suffisaient pas. Mon maigre pécule y passait... et toute mon énergie. J'étais à la limite de mes forces. Je prenais des vitamines pour tenir le coup et des calmants pour pouvoir dormir. J'étais inquiète, sous pression et... rarement avec Olivier, hors nos occupations cinématographiques. Cette frénésie de tout vouloir assumer, ajoutée à la priorité absolue que je donnais à ma famille puisqu'elle dépendait de moi, eut raison de notre amour. A la fin 74, nous décidâmes de nous séparer, tout en continuant, ensemble, notre film sur *Ali au Pays des Merveilles*.

Je vins alors habiter chez ma mère, dans l'appartement dont j'assumais les frais, mais dont il ne me serait jamais venu à l'idée de dire que c'était chez moi. Cette solution semblait la plus économique, et la plus commode pour mon rôle d'éducatrice.

Je partageais la chambre de ma sœur Fatima, revenue elle aussi au domicile maternel après avoir vécu seule un moment. Je l'aimais beaucoup, je la sentais fragile et je me désolais de lui voir manifester si peu de goût pour les études. J'essayais de l'entraîner à l'université, en vain : on ne peut pas forcer la nature des gens.

En revanche, quand je lui présentai un jeune journaliste algérien de ma connaissance, son enthousiasme ne fit qu'un tour. Ils se marièrent et toute la famille félicita Fatima. Maman ne tarissait pas d'éloges sur son gendre. Qu'il se révèle être un garçon « comme il faut » entrait pour bien moins dans ces louanges que le fait qu'il soit algérien et kabyle de surcroît. Ma mère avait enfin marié une de ses filles selon la tradition, avec un Arabe, que dis-je, avec un Berbère : elle avait donc fait son devoir. Lorsque les gens, surtout à Ifigha, lui demandaient :

— Que devient Djura, l'aînée ? Pourquoi n'est-elle pas mariée ?

Elle se contentait de répondre :

— Djura ? Elle élève ses frères et sœurs.

Elle espérait ainsi qu'on pardonnerait mon célibat prolongé... ou déguisé.

Amar, lui, épousa une Française... sans que personne n'y trouve à redire. A croire que chez nous, on ne suivait les règles à la lettre que lorsqu'il s'agissait du sexe féminin. On me demanda même de louer une belle salle de restaurant à Enghien, en face du casino, pour la cérémo-

nie. Il convenait de faire honneur à mon frère et à sa belle-
famille. Au fond, ce climat de compréhension me
comblait : je n'avais aucune envie que mes frères et sœurs
connaissent mes difficultés passées.

Belaïd, de son côté, partit bientôt dans le sud-ouest de
la France avec une femme plus âgée que lui — française
elle aussi — qui avait un enfant et qui lui en fit d'autres.

Ma mère aurait dû se réjouir de voir sa progéniture
voler de ses propres ailes : elle n'en déprima que davantage. Il restait pourtant encore quatre adolescents à
Epinay, toujours à ma charge. Les jeunes mariés son-
geaient à leur foyer et l'on ne vit jamais la couleur de leur
argent. Décidément, moi qui avais — selon mon père et
selon mon frère — « enfreint les lois » de notre commu-
nauté, j'étais la seule à respecter les vieilles traditions
d'entraide familiale. Je n'en ressentais pas d'amertume :
je faisais ce que j'estimais être naturel, l'amour en plus.
J'appréciais aussi d'avoir obtenu ma licence et de pouvoir
exercer le métier qui me plaisait. Nous venions, mon ex-
compagnon et moi, de terminer notre film, en bons amis
que nous étions devenus.

1976 : « Ali » au pays des merveilles, ou Djura ? J'étais
aux anges, en effet. L'Algérie m'invitait à présenter ce
film dans le cadre du festival panafricain, qui réunissait
tous les cinéastes de l'Afrique. Je devais animer le débat
qui suivrait la projection à la cinémathèque algérienne.
J'étais fière de pouvoir faire à mon tour ce que Godard,
Robbe-Grillet et Fassbinder avaient fait avant moi, au
même endroit. La cinémathèque algérienne, si réputée
pour son public intransigeant ! L'Algérie qui faisait appel à
moi, alors que je m'y croyais inconnue !

Bien entendu, cette joie n'allait pas sans nuages

D'abord, ce fut la fin de l'amitié entre Olivier et moi. Olivier, co-auteur du film, se sentait profondément ulcéré de n'avoir pas été convié à cette manifestation. J'eus beau lui expliquer que ce festival concernant les cinéastes africains, il était normal qu'on demande son témoignage à l'Africaine que j'étais, il le prit assez mal et nos relations s'en ressentirent.

Et puis, surtout, la peur refaisait surface. L'Algérie, Mohand, le chantage à la mort si je remettais les pieds sur le sol natal. Allais-je supporter cela toute ma vie ? Je pris le risque et me rendis à Alger. J'étais très satisfaite de mon courage et en même temps un peu honteuse : je n'avais pas eu la même audace à la mort de Setsi Fatima. Je lui en demandai pardon dans mes prières. Il est vrai que, cette fois-ci, j'allais dans la capitale et non à Ifigha, mon sacro-saint village natal où l'affront de ma présence aurait peut-être été encore plus intolérable pour mon frère aîné.

Il n'empêche que pendant toute la projection de *Ali au Pays des Merveilles,* mes yeux scrutèrent la salle dans le noir. D'habitude, les réalisateurs se livrent à ce manège pour tenter de deviner les réactions du public. Moi, c'était pour essayer de repérer Mohand...

Un ami et confident algérien, critique de cinéma, s'était assis auprès de moi pour me rassurer. Mais qui pouvait me rassurer ? Qui pourrait me protéger efficacement de mon frère ? Au demeurant, mes camarades de la cinémathèque n'étaient pas au courant de la menace qui pesait sur moi, le public encore moins.

J'aperçus soudain au fond de la salle une silhouette qui me rappela Mohand. Je me mis à trembler... Des idées folles me venaient en tête. Me sauver juste avant la fin, par exemple... Mais que diraient les organisateurs de cette réalisatrice qui s'esquivait avant le débat prévu sous sa houlette ?

Et si je déclenchais moi-même le scandale ? Je courrais sur l'estrade, j'annoncerais que j'étais l'auteur de ce film, mais qu'il y avait ici une personne qui voulait ma perte. Qui voulait me tuer à cause de mon métier, des idées que je défendais. J'interpellerais les intellectuels présents en leur expliquant que, tôt ou tard, ils devraient se pencher sur la condition de la femme dans leur propre pays. Tant pis pour *Ali au Pays des Merveilles* : le problème féminin me semblait autrement vital, sur l'instant, que les difficultés de l'émigration. Ensuite, je désignerais mon frère du doigt, et on verrait bien ce qu'il trouverait à répondre... ou à faire.

Puis, achevant de perdre tout contrôle, je revins à ma première idée : fuir... Je me faufilai dans l'allée centrale, courbée en deux, vers la sortie. Je croisai alors un cinéaste algérien que je connaissais bien, et qui s'étonna de mon comportement. Je lui fis part de ma terreur... Il se redressa de toute sa massive corpulence qui en aurait impressionné plus d'un, et me dit assez haut, en roulant les « r » :

— Tu n'as rrrien à crrraindrrre !

Il me prit alors gentiment par le bras et m'entraîna vite vers l'écran : le film venait de se terminer, la lumière se ralluma et mon « garde du corps » me présenta au public.

Les applaudissements fusèrent de toutes parts. Je regardais la salle, tête haute, air décidé, courage de retour. Je regardais surtout là où j'avais cru apercevoir Mohand. Etait-il parti ? M'étais-je trompée ? J'eus un soupir de soulagement quand le débat commença...

Aussitôt, un vieil homme enturbanné se leva. Je reconnus Momo, un des piliers de la cinémathèque, dont la critique était particulièrement redoutée. Un étrange personnage, Momo, respecté de tous malgré son originalité. Il était poète et il se produisait lui-même sur scène pour lire ses œuvres qu'il apportait dans un couffin, au milieu des oranges ! Cela ne l'empêchait pas de faire trembler les réalisateurs présents car il rendait toujours son verdict le premier et celui-ci ne se révélait pas souvent tendre. Momo, en général, disait ce qu'il avait à dire, rapidement et précisément, puis partait. Le sort de l'œuvre jugée résidait dans ces quelques phrases car, la plupart du temps, le public suivait son avis. On imagine dans quel état je me trouvais quand il prit la parole.

— Le film de la sœur Djura, dit-il, est une formidable description de l'émigration. L'image de la fin est très réussie, très symbolique, où l'on voit ceux qui mangent les huîtres, ceux qui les ouvrent et les présentent sur un plateau, et ceux qui les ramassent dans les poubelles. J'aime beaucoup ce film.

Il tourna les talons et on ne le revit plus. Je l'aurais embrassé ! Il venait de dérouler pour moi le tapis rouge du succès.

Le reste du débat fut très animé, dégénérant même, un court moment, entre des clans opposés habitués à semer l'agitation.

De nombreux amis me raccompagnèrent jusqu'à mon hôtel. Dans le hall, j'eus encore un regard circulaire pour inspecter les lieux. J'eus même la tentation de me confier à mes camarades, qui faisaient cercle autour de moi pour me dire au revoir. Mais je n'aimais pas me raconter... Seul mon ami critique de cinéma était au courant de mes péripéties dramatiques. Il me disait toujours :

— Pourquoi t'escrimes-tu à chercher des scénarios ? Le meilleur scénario que je connaisse est l'histoire de ta vie. C'est ce film-là que tu devrais réaliser.

Mais je n'avais aucune envie, à l'époque, de filmer ou d'écrire mon autobiographie. Sans doute fallait-il qu'arrive le pire pour que j'essaie enfin d'exorciser le passé.

Curieusement, *Ali au Pays des Merveilles,* mon premier grand film, allait décider de ma carrière... de chanteuse ! Et de ma vie de femme...

Alors que j'en terminais le montage avec Olivier, bien que séparée de celui-ci sur le plan affectif depuis un certain temps, le problème s'était posé de trouver une musique qui pût harmonieusement illustrer nos images. Ceci se passait, évidemment, avant mon voyage à Alger, puisque le travail n'était pas encore terminé.

Je pensai soudain à Djamel Allam, le chanteur kabyle. Celui-ci me permit volontiers d'utiliser les bandes magnétiques de ses chants et me donna l'adresse de son manager — Hervé Lacroix —, qui me les procurerait.

Je téléphonai donc à ce monsieur, qui me dit de passer prendre les bandes le soir même, si je voulais, chez lui vers dix-neuf heures. Il habitait l'île Saint-Louis.

Ce jour-là, j'ai malheureusement manqué mon train à Epinay et je suis arrivée dans l'île avec près d'une heure de retard... Si bizarre que cela puisse paraître, je ne connaissais pas cet endroit magique. On ne peut courir de Vincennes au bout de la banlieue, faire des repérages dans les cités-dortoirs ou bidonvilles arabes, et visiter de surcroît Paris dans ses plus pures merveilles.

J'avais tout à coup l'impression de me trouver dans un

121

autre monde. La nuit venait de tomber, les réverbères allumés donnaient aux rues un côté provincial, très « village en fête ». Il y avait d'ailleurs une sorte de fête : un vernissage très important qui attirait des foules d'une élégance peu conventionnelle, intelligente, hétéroclite. Toutes les galeries étaient restées allumées, j'eus envie de flâner à mon tour... Il n'en était cependant pas question : je me sentais déjà suffisamment confuse de débarquer chez des inconnus à l'heure du dîner.

Me voici enfin au 55 de la rue Saint-Louis-en-l'Ile, dans une cour où Hervé Lacroix logeait au rez-de-chaussée. Je sonne : pas de réponse. Les volets étaient fermés, et pourtant je voyais de la lumière à l'intérieur. J'aurais dû repartir mais je venais de trop loin pour ne pas insister : je tambourinai à la porte.

Un grand et beau jeune homme, bronzé comme au retour de vacances, ouvrit enfin. Je fus un peu surprise : je m'attendais à découvrir un « producteur » tel que je les imaginais, un homme d'une cinquantaine d'années, imposant, voire paternel. Or j'avais devant moi un garçon de mon âge, habillé d'un jean blanc, souriant et désinvolte. Il me pria d'entrer...

J'avais à peine franchi le seuil de son studio que l'île fut assombrie par une panne d'électricité, incident assez insolite à deux pas de la demeure de l'ex-président Pompidou, dont l'entourage bénéficiait d'un groupe électrogène de secours.

— Ainsi, vous, vous faites sauter les plombs ? s'exclama en riant mon hôte. Attendez, je vais chercher un bougeoir...

Je n'avais pas l'habitude de l'humour parisien. Pas l'habitude non plus de la familiarité masculine, malgré ma cohabitation avec Olivier. Nous étions tous les deux seuls dans le noir et je ne me sentais pas rassurée.

Aussi, dès que la lumière fut revenue, m'apprêtai-je à tourner les talons en disant, à peine polie :

— Bon, alors vous me donnez les bandes et je m'en vais.

Hervé ne fit aucun commentaire et me proposa simplement :

— Voulez-vous que nous allions prendre un verre à l'extérieur ?

« A l'extérieur » ? J'acceptai... Nous nous retrouvâmes au café du coin. Il m'expliqua que, ne me voyant pas arriver, il avait préféré s'enfermer. Il connaissait presque tous les habitants de l'île mais il n'aimait pas les mondanités. Or ce soir-là, vu l'ambiance, il était sûr que des tas de copains viendraient l'importuner, le priant de se joindre à eux.

Nous fîmes connaissance, une séduction réciproque présidant à notre conversation. Pas une séduction de surface : une connivence profonde, qui ne s'est jamais démentie. On se promit de se revoir et une relation amicale s'ensuivit, qui devint très vite sentimentale et davantage encore.

Hervé représentait tout ce qui m'attirait. C'était un artiste, un vrai. Un dénicheur de talents qui n'avait rien de l'impresario ordinaire, à pourcentage et à esbroufe. Quand il croyait en quelqu'un, il allait jusqu'au bout. L'argent ne comptait guère pour lui, pas plus que pour moi. Tout ce qu'il gagnait, il le réinvestissait aussitôt dans son travail. Il avait attrapé le virus du spectacle en travaillant dès l'âge de vingt ans au théâtre du Ranelagh, où il avait croisé les jeunes carrières de Rufus et d'Higelin, fréquenté des groupes américains comme *Temptation*, admiré Diana Ross...

Il avait une culture générale inépuisable, qui me fascinait. Il s'intéressait à une foule de choses et... il aimait passionnément l'Algérie. Il faut quand même reconnaître au passage que les deux hommes avec qui j'ai vécu avaient pour mon pays une réelle attirance : Olivier en tant qu'architecte et cinéaste, Hervé sur un plan historique et culturel sans doute plus vaste et plus profond.

Notre premier voyage d'amoureux me fit d'ailleurs découvrir entre nous d'étranges coïncidences, dues au hasard peut-être, si le hasard existe.

Hervé était breton. On ne peut pas dire que les invasions sarrasines aient marqué le passé de cette province et pourtant, le jour où il m'emmena sur sa terre natale, j'eus une surprise de taille...

Nous avons d'abord roulé, agréablement, vers son village maternel, Saint-Quay-Portrieux, une station balnéaire des Côtes-du-Nord... Complètement ignorante de la beauté de cette région de France, je n'attendais de la Bretagne qu'une chose : voir des artichauts, mon légume préféré.

Des kilomètres et rien... Puis, soudain :

— J'en vois un, j'en vois un ! m'exclamai-je, ravie.

— De quoi parles-tu ? demanda Hervé.

— Des artichauts, enfin ! Nous sommes au pays des artichauts, non ?

— Il y a bien d'autres merveilles plus intéressantes, répondit-il en souriant.

En effet, il y avait la mer. La mer bretonne, farouche et coléreuse, difficile, changeante, spectaculaire... Puis il y eut la maison de sa grand-mère, qui l'avait en partie élevé comme la mienne m'avait dorlotée, ce qui figurait déjà un premier point commun de notre enfance. Or, en face de cette maison se dressait devant moi, telle une apparition, un château oriental avec minaret, arabesques aux portes et fenêtres richement décorées !

— Un original du début du siècle l'a fait construire pour une comtesse dont il était fou amoureux, me confia Hervé.

D'ailleurs regarde l'île, juste en face : on l'appelle « l'île de la Comtesse ». Le château, c'est le château de Calan.

Le château de Calan me cloua d'émotion sur place. Trouver ici quelque chose de chez moi, je ne pouvais m'empêcher d'y voir un signe...

On nous expliqua que le château était à vendre. Hélas, nous n'avions vraiment pas les moyens de l'acheter, même pour « presque rien », comme disaient les agents immobiliers. Moi je faisais des vœux pour qu'un jour il me revienne, ou pour qu'Hervé puisse l'acquérir, pour que nous...

En réalité, quelques années plus tard, il allait être vendu à un promoteur qui le transforma en hôtel-restaurant. On en défigura un peu les environs immédiats par des constructions de studios très modernes aux larges baies vitrées, mais le château resta intact et le nouveau propriétaire eut la gentillesse de m'en faire visiter la grande salle. Le carrelage à lui seul ferait pâlir n'importe quel roi d'Arabie. La cheminée aux mosaïques d'or ne dépareille pas l'ensemble, somptueux.

Pour l'heure, c'était insensé : en me faisant découvrir ses racines, Hervé me permettait de retrouver les miennes.

On pensera qu'il y a beaucoup de romantisme facile dans ces réflexions, comme toujours en cas d'amour. Il n'empêche que plus tard, quand j'ai enregistré un disque avec Alan Stivell, puis chanté avec Gilles Servat — deux bretonnants de pure souche —, j'ai eu tout le loisir de me rendre compte — en parfaite objectivité — qu'il y avait beaucoup de points communs entre la musique bretonne et la musique berbère. Dans l'acidité des sons, dans la résonance des instruments, dans la lancinante ténacité de la mélodie.

A l'époque de notre première escapade, en tout cas, je me disais — très amoureuse — qu'il n'y avait rien d'étonnant à ce que le blond Breton aux yeux bleus ait rencontré la Berbère aux yeux noirs, ne serait-ce que pour aller pique-niquer au pied d'un minaret planté en terre celtique, sur l'île de la Comtesse.

En dehors de ces multiples raisons de sympathie, un autre aspect de la personnalité d'Hervé m'enchantait : sa générosité. Il prêtait tout : sa guitare, son studio, ses habits. Partant, il comprenait parfaitement mon dévouement vis-à-vis de ma famille. Il trouvait formidable que j'assume à la fois tant de responsabilités, je crois même que cela le rendait fier de moi. Olivier, lui, avait subi la situation avec beaucoup de gentillesse et le plus de compréhension possible : Hervé, bientôt, se montra partie prenante de cette situation. Il venait voir ma mère, mes frères et sœurs, ravi de se trouver « en famille ». Il les aimait beaucoup, envisageait que nous les aidions de concert.

Cette largesse de cœur et d'esprit allait contribuer à notre perte, mais, en 1976, nous l'ignorions encore.

Très peu de temps après notre rencontre, Hervé se mit en tête de me faire chanter. Il avait lu les poèmes que j'avais composés à Hussen Dey, j'étais d'une nature gaie, spontanée, j'adorais chantonner : il eut le pressentiment qu'il se passerait quelque chose si je montais sur scène.

Au début, je ne pris pas ses propositions au sérieux et je dois avouer qu'elles ne me tentaient guère. Un reste d'éducation paterno-fraternelle ? Je ne me sentais pas valorisée à l'idée de devenir chanteuse. Chanteuse d'opéra, à la rigueur, mais ce n'était vraiment pas mon registre.

Hervé me fit remarquer que Brassens, Montand, Billie

Holiday étaient aussi, dans leur genre, de grands artistes. Et Taos Amrouche, et Oum Kalsoum ?

Seulement, le cinéma ? J'avais quand même fait de jolis débuts, fallait-il y renoncer ? J'envisageais de réaliser un film sur la condition des femmes de mon pays. Vaste programme... et montagnes de difficultés. Où trouver les fonds nécessaires ? Et par qui serait vu ce document « provocateur » ? Certainement pas par les Algériennes, pourtant directement concernées, mais que l'on bouclerait à la maison en pareille circonstance, le film en soit ayant d'ailleurs toutes les chances d'être interdit en Algérie. Quant à la France, l'œuvre y serait, peut-être, distribuée dans quelques circuits parallèles, classée dans les films d'art et d'essai, prêchant ainsi des convaincus avertis, et non pas le grand public.

Je n'ai toujours pas abandonné ce projet, mais Hervé me démontra, à l'époque, que vu les obstacles prévisibles d'une réalisation cinématographique de ce style, la chanson serait un bon moyen d'exprimer ce que j'avais à dire, et de le faire entendre plus vite, et plus facilement.

Ce fut le déclic : j'acceptai de chanter... En quête de mélodies pour *Ali au Pays des Merveilles,* je m'étais rendue la première fois chez Hervé pour chercher une voix : je venais de trouver la mienne.

Une voix, et une voie... Le chemin de l'inspiration, pour moi, était naturellement tracé. Les maillons de ma chaîne-chienne de vie venaient s'accrocher les uns aux autres avec une logique étrangement encourageante. J'étais une jeune Algérienne éprise de culture berbère mais également soucieuse de la place de la femme dans la société moderne. J'avais souffert, comme mes compatriotes féminines, des contraintes sociales, politiques et familiales persistant à notre égard malgré un prétendu progrès. Faire bouger les choses avait de tout temps été mon désir, même lorsque je me contentais, timidement, d'instaurer un embryon de solidarité féminine chez les filles de Tala-Gala.

Eh bien j'élargirais le débat ! Je chercherais à entraîner dans ma lutte toutes les filles algériennes, maghrébines, africaines, arabes d'autres pays, et même quelques occidentales encore sous le boisseau. Je ferais comme Kahina : je soulèverais par mes chants une véritable armée, fidèle aux richesses culturelles de nos pays et cependant rebelle au pouvoir tout-puissant d'un patriarcat suranné.

Voilà pour la théorie, seulement nous n'étions plus à l'époque du roi Tabat, et j'étais seule. Or je ne voulais pas jouer les chanteuses engagées solitaires. Je voulais que nous soyons un groupe. Un petit groupe pour commencer, mais un groupe : il me fallait colporter une parole commune, et non faire un numéro de vedette.

— Cela s'appellera *Djurdjura,* déclarai-je un jour à Hervé.

— Cela sonne bien, remarqua-t-il.

Pour moi, cela résonnait de mille souvenirs d'enfance, et du bruit des premiers combats pour l'indépendance algérienne. Des combats auxquels les femmes avaient participé bravement, et massivement. Djamila Boupacha, Djamila Bouhired, nos mères et grands-mères qui brandissaient le poing dans les rues et sur les chemins, criant « Vive l'Algérie ! » en poussant des youyous. Or, qu'était-il advenu de ces « révolutionnaires » ? On avait oublié les héroïnes et l'on avait renvoyé les autres dans leurs foyers sans rien changer à leur condition. Au fond, celles qui ont participé, jadis, à la Révolution française ont connu à peu près le même sort, à cette différence près que leur « condition », comparée à la nôtre, représentait une dépendance beaucoup plus confortable.

Seulement, en Occident, 1968 et le féminisme étaient

passés par là. Avec les excès que comporte tout bouleversement social, sans doute, mais pour un épanouissement féminin que nul ne pouvait plus contester. J'avais la chance d'avoir été élevée dans un pays occidental : j'étais au carrefour de deux cultures, je pouvais enrichir mes créations de ces deux réalités. Ne pas renier le passé ni mes origines, mais leur donner l'éclairage d'un avenir plus radieux.

Pour cela, il ne suffisait pas de produire sur scène un groupe « folklorique » : il fallait composer de nouvelles chansons, inspirées des anciennes, suggestions prospectives en prime. Qu'à cela ne tienne, je reviendrais aux sources et, quant à l'avenir, je viderais mon carquois.

Je me mis à l'ouvrage avec enthousiasme, tout en continuant mes autres activités « alimentaires » afin de subvenir aux besoins de ma famille.

Comme je me réjouissais de mon séjour à Ifigha et à Tala-Gala — en 1968 — qui m'avait familiarisée avec ma langue natale ! Car il n'était pas question que nous nous exprimions autrement qu'en kabyle, au moins dans la plupart de mes chansons...

Comme j'étais reconnaissante à mes vieilles cousines de Tala-Gala de m'avoir chanté et mis en mémoire tous les refrains et autres trésors dansants du terroir ! Je complétai cette documentation vacancière en allant fouiller à la Bibliothèque nationale. J'y retrouvai de nombreux poèmes berbères recueillis par Hanoteau et Letourneux pendant la colonisation. Chants de joie, chants de guerre, mélopées tristes ou ironiques, c'étaient — souvent — de véritables cris de révolte que les femmes lançaient contre leur condition. « *Merci, ma mère, vous m'avez obligée à épouser un hibou* »... Des œuvres féminines, dont j'avais entendu certaines au pays, à cette précision près que ces

« cris » étaient murmurés pendant les travaux domestiques, quand on se trouvait entre soi, loin des hommes...

Eh bien, la devise de *Djurdjura* serait : « Nous chantons tout haut ce que nos mères ont fredonné tout bas. » Et chaque homme reconnaîtrait dans mes poèmes plus ou moins revendicateurs sa mère, son épouse, sa propre fille et leur destin.

Néanmoins, je ne voulais pas semer uniquement la révolte, je voulais que mes compositions soient porteuses de sourire et d'espoir, et qu'elles expriment aussi le charme traditionnel de notre beau pays. Je mélangeai au mieux les richesses du patrimoine et les ressources de la musique universelle. J'avais en moi, inné, le sens de la mélodie et de nos rythmes. Ma mère n'en revenait pas de retrouver dans les chants et les danses que j'avais inventés tous les souvenirs familiers de sa jeunesse.

Dire qu'elle était ravie de me voir monter sur scène serait cependant pur mensonge... Elle ressassait toujours la même litanie :

— Que penseront les gens d'Ifigha quand ils apprendront ça ! Je n'oserai jamais plus me montrer au village...

Je lui rappelai alors son mariage forcé, ses fugues punies, ses misères, ses grossesses à répétition, les coups qu'elle avait reçus. Je lui fis admettre que si elle avait mon âge, elle aussi aurait envie de faire connaître cette condition pitoyable qui était infligée à nombre d'entre nous. Je lui dis qu'en chantant ainsi, c'était de sa propre souffrance que je voulais témoigner.

Puis je l'amadouai en ajoutant que d'ici à ce que notre notoriété gagne la Kabylie... de l'eau passerait sous les ponts. Il fallait d'abord essayer. En cas d'échec, personne, là-bas, ne serait au courant. Et si le succès traversait les mers... on n'est pas la risée d'un village lorsque sa fille a du succès.

Restait à fonder *Djurdjura,* et je n'avais toujours pas de partenaires... J'entraînai alors ma sœur Fatima dans l'aventure. Elle s'y lança d'abord comme dans une plaisanterie puis dut se mettre au travail. Elle ne possédait pas bien la langue kabyle : je lui appris les intonations, les textes, la prononciation...

Puis j'obtins de maman la permission d'embrigader ma tante, sa jeune sœur à peine plus âgée que moi. Ma tante avait été mariée autrefois, mais son mari l'avait répudiée une semaine après les noces. Elle n'avait pas bougé de son village pendant des années puis, un jour, elle était partie pour la France sous prétexte de se faire soigner les dents. Il fallait toujours un prétexte, chez nous, pour laisser voyager une femme célibataire...

Tante J... était donc venue à Paris pour trois mois et cela faisait cinq ans... qu'elle continuait d'avoir mal aux gencives ! C'était une femme extraordinaire, qui s'adaptait à toutes les situations. L'idée de chanter la rendait folle de joie. Elle parlait bien sûr couramment notre langue d'origine, et elle évoluait sur les rythmes les plus divers comme si elle continuait de s'amuser dans une noce villageoise. Elle apportait en somme une touche d'authenticité populaire qui m'apprit beaucoup, à moi la petite « Parisienne ». Nous portions toutes les trois la gandoura traditionnelle ainsi que la fouta — ce tablier-essuie-mains rouge et or qui allait devenir, en quelque sorte, l'emblème de mon combat.

Hervé, de son côté, m'aidait à trouver des musiciens. Il me fallait les percussions typiques, derboukas et bendirs mais aussi, un clavier, une flûte, une batterie, une guitare basse et une guitare électrique. Cinq ou six exécutants au moins, pas faciles à dénicher.

Hervé cherchait aussi une scène et s'occupait de faire connaître *Djurdjura* sans tarder. Si bien qu'un soir, tout de go, il m'annonce qu'il vient de signer un contrat pour un spectacle, le 15 mai 1977 à la Tombe, près de Montereau. La panique ! Il restait à peine deux mois pour fignoler la prestation : un répertoire de trois quarts d'heure, pour commencer...

Je n'eus pas autant le trac que je l'aurais cru, parce qu'il s'agissait d'une fête en plein air, populaire, bon enfant, un peu comme nos réjouissances d'Ifigha, en plus grand. Tout était prêt : les instruments, les musiciens, les chanteuses, leurs costumes et leurs « paroles de femmes ».

J'oubliai les nouvelles tergiversations de ma mère qui m'avait dit, la veille :

—. Prenez garde ! Dans ce genre de rassemblement, il y a un maximum d'immigrés. Comment vont-ils prendre cela ? Je veux dire, les hommes... Vous risquez de vous faire sortir de scène et de recevoir des bouteilles sur la tête.

Il faut reconnaître qu'en 1977, les pères de famille immigrés n'avaient guère l'habitude d'entendre des réquisitoires concernant la vie de leurs filles, sœurs et compagnes. Mais n'étions-nous pas là pour faire changer les choses ?

Nous ne reçûmes pas de bouteilles et ce fut un triomphe, tant chez les Maghrébins que dans le public français, qui découvrait *Djurdjura* comme une surprise acidulée. Les encouragements que je reçus ce jour-là me firent oublier les nuits blanches qui avaient précédé l'événement. Je me sentais épanouie dans cette nouvelle forme d'expression. Une amie psychiatre me confia :

— On croirait que tu as fait cela toute ta vie. Remarque, ce n'est pas si surprenant : avec ta grand-mère, tu as été mise en scène dès le jour de ta naissance, d'après ce que tu m'as raconté.

J'eus une pensée émue pour Setsi Fatima...

*
**

Hervé ne me laissa pas m'endormir sur mes lauriers. Il programma de nouveaux spectacles, et décida d'améliorer le côté « orchestre » de la représentation. Les musiciens maghrébins traditionnels sérieux étaient une denrée rare. Et puis, c'étaient des hommes : accompagner mes textes « subversifs » ne les enchantait pas tous. De plus, les trois quarts d'entre eux travaillaient en amateurs, arrivant en retard aux répétitions, et oubliant parfois — un comble — de se rendre au spectacle ! Cela ne pouvait durer ainsi.

Par bonheur, cette année-là, Hervé s'occupait également d'un certain nombre d'artistes en Algérie, en collaboration avec le ministère de la Culture. Il eut aussi l'occasion de rencontrer le chef d'orchestre de la Radio Télévision Algérienne, Boudjemia Merzak, qui vint bientôt s'installer en France.

Hervé et lui étaient devenus amis : nous lui exposâmes nos embarras musicaux. Merzak connaissait admirablement les milieux de la musique maghrébine installés dans l'Hexagone, et les problèmes qu'ils posaient... Il nous conseilla de ne pas systématiquement choisir des Africains du Nord. Mieux valait nous adresser aussi à des musiciens d'autres nationalités — pourvu que ce fussent de vrais professionnels —, qu'il se chargerait, lui, de diriger afin de leur apprendre notre style de mélodies.

Finalement, le seul et fidèle ami algérien qui resta dans l'orchestre fut Rabah Khalfa, le meilleur percussionniste du Maghreb. Les autres étaient et sont encore des Français, des Bretons (ils tiennent à ce qu'on le précise !), des Américains, tous intéressés par notre démarche, tous désormais spécialistes de la musique berbère, talentueux, scrupuleux, adorables...

Fort de cette nouvelle équipe, Hervé, qui décidément aime les expériences audacieuses, organisa un spectacle avec *Djurdjura* et le chanteur kabyle Idir, le 23 janvier 1978, à l'Olympia. Aucun artiste maghrébin ne s'était encore produit sur cette scène prestigieuse et le public immigré n'avait guère eu l'occasion de mettre les pieds dans cette salle. Les Maghrébins avaient l'habitude d'aller applaudir leurs chanteurs dans les foyers « culturels » qui leur étaient dévolus : les foyers Sonacotra.

Pour moi, ce fut l'angoisse. J'aimais le risque mais je trouvais que l'Olympia, quand même, était peut-être prématuré. Hervé me rassura : tout était au point.

Tout, sauf l'imprévisible : cette bonne nouvelle apparut à ma mère comme une catastrophe, et elle interdit formellement à sa sœur de se produire dans ce lieu trop connu à son goût. Elle s'estimait garante de la réputation de ma tante, et si mes petits spectacles avaient pu passer jusqu'ici — à son avis — inaperçus, elle savait qu'il n'en serait pas de même dans le plus célèbre des music-halls parisiens.

— Les oncles, les tantes, les cousins, tous ceux qui habitent Paris vont venir et la reconnaître, m'expliqua-t-elle. Sa mère et ses frères l'apprendront au pays, jamais ils ne lui pardonneront un pareil déshonneur, ni à moi !

Cela recommençait... Ma tante avait plus de trente ans mais restait sous tutelle. J'eus beau ergoter, proposer qu'elle chante masquée pour conserver l'anonymat, il n'y eut rien à faire : du jour au lendemain on dut se séparer d'elle... pour toujours.

Il me fallut, dans les plus brefs délais, remplacer celle que j'appelle encore « mon étoile filante ». Je pris contact avec plusieurs jeunes filles algériennes dont les parents refusèrent mes propositions. Je demandai alors à ma mère de laisser ma petite sœur Malha venir nous dépanner. Malha avait vingt ans, elle était née en France, comprenait le kabyle mais ne le parlait pas. Je dus tout lui apprendre, les poèmes, la musique, et... l'art de s'habiller. Malha se fichait éperdument de son allure extérieure, traînait en pantalon-baskets à longueur de journée. Pour lui faire accepter maquillage, robes longues, bijoux et la fouta, ce fut toute une affaire ! De plus, elle allait encore au lycée : elle n'avait pas beaucoup de temps pour les répétitions.

Qu'importe, le 23 janvier, à la sortie du collège, elle prit bravement la direction de l'Olympia...

Hervé vint me dire dans la loge qu'il y avait un monde fou dehors, devant les guichets Je haussai les épaules :

— Ce n'est sûrement pas pour nous. Ils réservent pour Aznavour, la semaine prochaine.

— Le jour où cette salle sera pleine pour toi, tu n'auras plus besoin de moi, murmura Hervé.

Moi je savais bien que j'aurais toujours besoin de lui comme compagnon de vie, et comme co-pilote sur le plan professionnel.

En outre, il avait eu raison : le public qui attendait à l'extérieur entrait peu à peu dans la salle, bondée de Français autant que d'immigrés. Derrière le rideau, je faisais les cent pas, l'estomac noué par le trac. Ce qui m'avait paru facile jusqu'alors devenait problématique. Nous nous étions surtout produits en plein air, dans cette atmosphère de fête que j'affectionnais et que je connaissais depuis l'enfance. Les défauts passaient dans l'euphorie ambiante, parfois dans le brouhaha. Tandis qu'ici, on entendrait une mouche voler, en repérerait la moindre fausse note. Nous allions être éclairés comme des astres, examinés, jugés. Et si tout basculait ? Si on nous envoyait des tomates ? Si...

— A vous !

Les projecteurs nous prirent du côté « cour » de la scène

135

pour nous suivre jusqu'au centre. Soudain, des tonnerres d'applaudissements... Je contrôlais mal ce qui se passait mais je me sentais galvanisée, droite, fière, comme habitée par un soleil. Les musiciens étaient là, rassurants. Mes sœurs m'encadraient, une de chaque côté. Je leur avais dit : « N'ayez pas peur et, quoi qu'il advienne, suivez-moi »... Je leur lançais des regards complices au fur et à mesure que se déroulait le programme. La symbiose fut totale et ce bel Olympia réussi.

Djurdjura était « lancé », comme disaient mes amis, sans que je me laisse abuser par le terme. Il signifiait seulement que l'on quittait l'amateurisme au profit d'un statut de professionnel, avec la sévérité de jugement que cela comporte. Il ne s'agissait plus d'improviser, de faire de l'à-peu-près, de démériter en un mot.

J'étais résolue à tous les sacrifices pour venir à bout de cette tâche, forte de l'inspiration que me procuraient le souvenir radieux de ma Kabylie natale et le désir d'offrir à mes semblables un peu plus de liberté. Et puis, je n'étais plus seule à me battre. N'avais-je pas, pour me soutenir, mes sœurs à qui j'avais enseigné notre art, et l'appui éventuel de cette Algérie dont je faisais connaître la culture par le biais de mes créations?

Ce furent pourtant ces deux « réconforts » qui me lâchèrent en premier lieu, et tentèrent par la suite de me briser les ailes.

Dès le lendemain de notre passage à l'Olympia, je réunis Fatima et Malha pour leur expliquer que, désormais, il faudrait se rendre disponibles pour les divers galas qui n'allaient pas manquer de suivre, et surtout répéter plus souvent, quelles que soient nos activités annexes respectives. Elles me regardèrent sans aucun emballement. Les galas, les planches, ça oui : c'était rigolo. Mais le travail...

Aussitôt, les problèmes commencèrent. Elles venaient aux répétitions quand ça leur chantait. Hervé avait monté, par ailleurs, une petite société pour la production de nos disques. Le siège social de cette société était une vieille grange aménagée de bric et de broc que nous habitions, Hervé et moi, par la même occasion. Dès cette acquisition, nous avons fait figure d'employeurs, pour ne pas dire de profiteurs, alors que nous assumions tous les frais, négociant pour mes sœurs et les musiciens des cachets honorables. Les musiciens ne rechignaient jamais ; mes sœurs, si, comme des enfants gâtées. Elles quittaient brutalement la scène pour un oui pour un non, revenaient en larmoyant, se livrant à un chantage affectif auquel je cédais trop souvent. Ce climat désespérait Hervé. Il signait des contrats un peu partout en France, jamais certain que les « petites » seraient présentes. Il osait à peine mettre en chantier des projets plus audacieux : des tournées à l'étranger, par exemple. Nous étions sans cesse à la merci de ces crises d'adolescence qui mettaient en péril l'avenir de *Djurdjura* et celui de ses instrumentistes.

J'avais beau faire valoir à mes sœurs le charme de notre métier, les mérites de cette mission, elles s'en moquaient. En fait, elles voulaient tous les avantages de cette profession sans en accepter la rigueur. Elles adoraient être reconnues, flattées, applaudies, ou recevoir des fleurs ; mais les voyages fatigants, les interviews trop matinales, les nuits trop courtes dans des hôtels moyens leur paraissaient autant d'obligations médiocres et fastidieuses. Elles n'admettaient pas les remarques qu'Hervé ou moi-même étions bien obligés de leur faire. Elles souhaitaient « s'ins-

taller confortablement dans un métier inconfortable »,
selon la phrase bien connue de Louis Jouvet. Elles
s'imaginaient, comme beaucoup de débutants qui n'ont
pas réellement le feu sacré, qu'un premier succès ou un
premier disque bien reçu représentent une promesse de
féerie perpétuelle.

Les débuts de *Djurdjura* se déroulèrent ainsi, dans
l'inquiétude permanente, pour Hervé comme pour moi.
Quelques jours avant notre passage au Théâtre de la Ville,
en mars 1979, qui correspondait avec la sortie du premier
album, Malha décida de nous quitter sans aucun préavis. Il
fallut former sur-le-champ une remplaçante, heureusement assez douée, que je faisais répéter la nuit. Hervé, de
son côté, eut des ennuis avec le producteur du spectacle à
cause de cette défection. Il dut en outre refaire à ses frais
les affiches, les dossiers de presse, les photographies et
tout le matériel publicitaire, à la dernière minute.

Fatima se montrait un peu plus raisonnable, mais pas
motivée pour autant. Elle préférait chanter plutôt que de
travailler dans un bureau, et elle espérait sans doute
gagner grâce à cette profession un maximum d'argent.
Seulement, elle ne s'investissait pas. Peut-être restait-elle
par affection pour moi, du moins le croyais-je... Moi
j'étais très attachée à elle. C'était la plus proche de mes
sœurs, ma complice. Nous avions vécu, adolescentes, les
moments les plus durs de la vie familiale. Nous avions
souffert ensemble, même si j'avais plus pâti qu'elle de la
folle cruauté des miens. Je souhaitais que désormais nous
soyons heureuses de concert. Nous avons d'ailleurs eu de
bons moments, d'autant que nous habitions non loin l'une
de l'autre. Je lui faisais part de mes soucis concernant mes
frères et mes autres sœurs, surtout mes jeunes frères —
maintenant grands —, qui semblaient bien peu se soucier
de trouver du travail. Fatima était la seule à me dire que
j'en faisais trop, et que je ferais mieux de penser un peu à

moi. Je crois même qu'elle fut carrément exaspérée quand j'acceptai, en 1980, de reprendre Malha revenue repentante au bercail.

Elle n'avait pas tort. Après m'avoir promis, juré qu'elle ne fuguerait plus, qu'elle avait réfléchi, mûri, choisi notre « cause », Malha repartit sans crier gare quelques mois plus tard.

Et me revoilà en train de reconstituer une équipe. De 1977 à 1985, j'ai passé plus de temps à former des remplaçantes qu'à perfectionner le travail de fond. A ce rythme-là, *Djurdjura* aurait dû disparaître petit à petit. Mais le besoin de dire, la volonté de communiquer à travers la poésie et la musique étaient chez moi plus forts que tout. La scène et le public changeaient doucement ma vie. Ma sensibilité trouvait le moyen de s'exprimer, je n'étais plus repliée sur moi-même, j'allais à la rencontre des autres et j'avais l'impression d'être utile. Cela méritait, à mes yeux, de surmonter tous les obstacles.

Après Malha, ce fut Djamila, la petite dernière, qu'Hervé et moi prîmes en main. Elle ne se fit pas prier pour venir me rejoindre, trop heureuse de quitter l'école qu'elle avait en horreur. Elle souhaitait également échapper à l'ambiance de la maison, où elle se trouvait en conflit permanent avec ma mère et mes frères. Elle avait seize ans et je la trouvais ravissante. De plus, elle ne manquait pas de talent. Dès son jeune âge, je l'avais inscrite au conservatoire de la mairie d'Epinay, aux cours de musique et de danse. Elle se passionna pour la danse et je crus un temps qu'elle pourrait y faire carrière. Mais son manque de ténacité fit qu'elle abandonna. Je mis cela sur le compte d'une enfance difficile, de sa solitude parmi une famille trop nombreuse, malgré mes attentions.

Maintenant, nous étions là pour la soutenir et nous

avions confiance en elle. Les musiciens la couvaient comme une petite mascotte, je lui apprenais les chansons, la langue, comme j'avais fait avec les autres. Je passais des journées à lui parler en kabyle, je lui repayais des leçons de chant, de solfège et de piano. Je l'entraînais avec Fatima dans des cours d'art dramatique, de danse classique et moderne, africaine et même indienne, pour enrichir notre culture artistique à toutes trois, et du même coup mon inspiration personnelle.

Après quelques mois d'enthousiasme Djamila refusa toutes ces « écoles », comme elle disait, et commença de se braquer contre moi, comme mes jeunes frères, ma mère faisant parfois chorus. A l'exception de Fatima peut-être, tous considéraient mes efforts à leur égard comme un dû, c'était normal. Moi je m'épuisais à tenir la promesse que je m'étais faite des années auparavant : mener ma petite famille à l'âge adulte et m'occuper de ma mère, toujours aussi dépressive et pas plus chaleureuse avec moi que par le passé.

Par bonheur, il y avait Hervé, et le miracle de la scène. Autant je mourais de trac en coulisses, autant je me sentais revivre sous les projecteurs. De Lille à Carthage, en France comme à l'étranger, le public était chaque fois au rendez-vous. De 1980 à 1982, *Djurdjura* prit un essor prometteur. Les tournées succédaient aux tournées, les médias couvrant largement nos passages. Les femmes et les jeunes filles venaient de plus en plus nombreuses, maghrébines et autres. Pour celles qui ne parlaient pas notre langue, une traduction de mes textes était donnée entre chaque chanson, et le message passait très bien.

Mon cœur vivait au rythme des applaudissements. J'allais cueillir comme des bouquets les sourires, la joie, l'étonnement des spectateurs. Beaucoup d'hommes nous regardaient avec une sorte d'admiration. Un jour, un immigré d'une cinquantaine d'années m'apporta un mot sur la scène. En caractères malhabiles, il avait écrit : « Vive la femme algérienne libre ! » Je me suis empressée de lire sa phrase au micro : la salle était en délire.

Je me tenais droite devant cette foule, hiératique et fière comme si, à travers moi, la culture et la femme maghrébine se trouvaient ennoblies. Mais dans mon cœur, j'étais à genoux devant ces gens qui me soutenaient et m'accueillaient à bras ouverts. Je ne m'étais pas sentie aimée dans mon enfance et d'un seul coup j'avais l'amour de tous. Pour rendre cet amour je me donnais à fond : je frappais dans mes mains, mes bracelets martelaient ma peau jusqu'à la bleuir, au son de la derbouka. C'était la fête... Le public — toutes races et tous âges confondus — le ressentait, et participait à son tour à la liesse en frappant dans ses mains. Souvent, des enfants venaient s'asseoir à l'avant de la scène, battaient la mesure, venaient nous embrasser à la fin du spectacle. « Il se passe toujours quelque chose entre *Djurdjura* et son public », écrivaient les journalistes.

Ce qui passait en premier lieu, c'était l'émotion : la seule chose essentielle à transmettre pour n'importe quel artiste, la seule vérité, la seule efficacité, qui permettrait peut-être à mon combat de dépasser les limites des salles de spectacle.

Mon combat... Je me battais pour que la femme algérienne, entre autres sœurs de même condition, puisse disposer d'elle-même, se trouver libérée de l'interminable tutelle du père, des frères et du mari. A ceux qui rabâchaient comme s'ils donnaient des leçons de morale que la femme devait rester la gardienne respectueuse des traditions, je répondais : « erreur, elle est la gardienne de la culture populaire, ce n'est pas la même chose ». La culture est le joyau des peuples, leur patrimoine. Elle s'enrichit au gré de leur histoire mais elle doit rester présente depuis ses origines dans la mémoire de chacun. « *Celui qui ne sait pas d'où il vient ne peut savoir où il va* », écrivait Gramsci... En revanche, les traditions, elles, figurent autant de coutumes bonnes ou mauvaises qui nécessitent souvent un vaste dépoussiérage, si l'on veut pouvoir accueillir le progrès.

En chantant cette nécessité, je mesurais parfaitement la portée politique de mes textes, espérant que d'autres personnes — spécialistes de la politique — prendraient le relais dans ma chère Algérie. Je me disais que peut-être, en nous écoutant, on songerait plus vite à lever les tabous, non pour prêcher une quelconque licence, mais pour créer une harmonie, une force mixte, masculine et féminine, qui ferait d'autant mieux évoluer notre société.

Cette noble ambition, cependant, ne semblait pas du goût des dirigeants algériens. « *Ali* » *au Pays des Merveilles* leur avait beaucoup plus, mais Fatma ne les intéressait pas, ni en tant qu'émigrée, ni en tant qu'Algérienne habitant sur le sol natal. Pourtant, depuis la charte de 1976, les femmes avaient acquis, sur le papier, les mêmes droits que les hommes, mais c'était resté lettre morte. Leur vie demeurait telle que nous la brocardions avec insolence sur la scène.

On ne se privait donc pas, dans les milieux autorisés, de faire l'impasse sur notre propagande, ni de crier haut et fort son mépris pour mes textes qui osaient mettre l'accent sur la plus flagrante contradiction du système : une prétendue égalité sociale dont se trouvait exclue la moitié féminine de la population.

Inutile de préciser que personne n'invita *Djurdjura* sur place, qu'aucun gala ne fut autorisé et que les disques furent interdits.

Cette interdiction ne reflétait toutefois pas la volonté du peuple : celui-ci, tous genres réunis, achetait nos cassettes sous le manteau. Quelques producteurs mercantiles, sur lesquels l'ONDA (la SACEM algérienne) ferma les yeux, tirèrent profit de ce piratage. Tant pis pour mes droits d'auteur : au moins étions-nous entendus.

Pour mieux décourager les sympathisants, on faisait courir des bruits selon lesquels *Djurdjura* figurait une opposition au régime. Nous ne nous étions pourtant jamais mêlées de cela, ni mes sœurs ni moi-même.

Cela dit, je ne pouvais m'empêcher, en privé, de faire le bilan de nos vingt-cinq années d'indépendance. Je sais bien qu'il faut aux Etats nouveau-nés — ou ressuscités — le temps de se reconstruire, mais enfin... drôle de reconstruction. La pénurie quasi générale, le chômage, la crise du logement, le développement de la délinquance, le taux de divorces le plus fort du monde, le taux de naissances le plus élevé mais aussi le taux de suicides féminins le plus spectaculaire et les frustrations de la jeunesse : 60 % de la population mal préparée à l'avenir, et qui pourtant adore ce pays... Ajoutons la répression de toute manifestation d'opinion divergente, le FLN parti unique dirigé par un noyau dur soutenu par l'armée toute-puissante qui génère les chefs d'Etat et justifie la légitimité du pouvoir : on a beau ne pas vouloir « faire de politique » — selon la formule consacrée —, on ne peut pas s'interdire de penser.

Seulement, encore une fois, on n'avait pas le droit d'exprimer ces pensées ! Ce qui me désespérait — et me désespère encore —, c'était le refus imposé de toute critique. « Ceux qui ne sont pas contents sous notre beau soleil d'Algérie n'ont qu'à aller ailleurs », avait dit le président Boumédienne...

De nombreux Algériens étaient alors partis pour l'étranger, certains d'entre eux dans le but de former un embryon d'opposition. Ils furent immédiatement accusés d'être payés par les pays déstabilisateurs. Ils ne faisaient pourtant que dénoncer l'absence totale de concertation : la presse unique, la radio unique, la télévision unique, au service d'un pouvoir éduquant les foules selon ses seules convictions, ou ses seules ambitions disaient les plus amers.

Ces exilés démontraient aussi bien les problèmes que posait l'Islam-religion d'Etat, difficilement compatible avec les dogmes socialistes. Je suis musulmane mais... Ne faudrait-il pas relire le Coran comme il faudrait aussi relire l'Evangile ? Quand dans l'Evangile il est écrit que l'épouse doit être soumise à son mari, il est également ajouté que le mari doit être soumis à son épouse. Escamotée, la phrase, pendant des siècles !

Quoi qu'il en soit, chez nous en Algérie, la femme demeure à la merci de la loi coranique telle qu'elle fut interprétée depuis le début de l'Islam. En l'absence d'une législation laïque structurée, c'est le droit musulman, millénaire, qui fait loi dans les tribunaux, acceptant comme un fait établi la suprématie de l'homme, la possibilité pour lui d'interdire à son épouse de travailler au dehors, le droit de la répudier, le droit de marier ses filles sans leur consentement et de les châtier à l'envi, et même le droit pour lui d'être encore polygame !

Dans un pareil contexte, il était facile de classer mes chansons dans le tiroir des idées sacrilèges. Le fait que mes compositions véhiculent la culture berbère n'était pas mieux prisé que mon « féminisme » : dans le contexte

145

gouvernemental, la « berbérité » était volontiers considé-
rée comme une attitude d'opposition, et bien d'autres
artistes s'étaient vus interdits de tous temps pour avoir
défendu le patrimoine culturel de la fière Berbérie.
Slimane Azem déjà, le père de la chanson kabyle contem-
poraine — un subtil combiné de La Fontaine et de
Georges Brassens — n'avait-il pas vécu exilé toute sa vie ?
Plus près de cette époque, Mouloud Mammeri, le célèbre
poète détenteur des secrets de notre langue, fut pour-
chassé à son tour. Un jour qu'il s'apprêtait à venir faire
une conférence sur la poésie berbère — conférence
réclamée à cor et à cri par les étudiants de Tizi-Ouzou —,
un barrage de police lui fit rebrousser chemin. Ce fut ce
qui déclencha les premières émeutes du « Printemps
Berbère » de 1980. Les étudiants héritiers de Jugurtha et
de Kahina la rebelle, qui voulaient seulement affirmer leur
droit à la différence, se firent violemment réprimer. De
nombreux écrivains, poètes ou chanteurs kabyles furent
mis à l'écart.

Cette antique rivalité entre Arabes et Berbères n'avait
pourtant plus guère de sens dans ce pays unifié qu'était
devenue l'Algérie. Pour ma part, le fait d'être née dans les
montagnes du Djurdjura ne faisait pas de moi une
Berbériste rétrograde. J'estimais au contraire que les deux
cultures et les deux langues pouvaient cohabiter pour le
plus grand bien de l'émulation intellectuelle et artistique.
Le Berbérisme fermé à toute pénétration venue de l'extérieur me semblait être un problème dépassé, ce qui ne
justifiait pas pour autant que les arabophones cherchent à
faire disparaître notre richesse culturelle en nous empêchant de nous exprimer.

C'est pourquoi j'acceptai volontiers de devenir, par-delà
les frontières, la vice-présidente d'une association destinée
à réunir dans une harmonie créative les artistes kabyles,
chaouis ou touareg aussi bien que les arabophones. Cette

association s'appelait l'ACIMA. Nous fîmes un assez bon travail pendant deux ans, puis nombre de membres se désintéressèrent de cette démarche unificatrice qui respectait cependant la personnalité de chacun, et l'ACIMA finit par disparaître.

Mais moi, je ne renonçais pas à défendre le reste de mes idées. Je n'avais pas d'ambition politicienne ni le goût du pouvoir, mais aucune cause au service de l'égalité ou de la justice ne me laissait indifférente. La cause des femmes et des fillettes de si nombreux pays, mutilées, excisées, bafouées ou violées ; celle des enfants qui meurent faute de nourriture et de soins ; celle de l'Apartheid ; celle des êtres humains en quête de dignité, torturés ou emprisonnés sous toutes les latitudes. Je participais aux colloques organisés par Amnesty International, la Ligue des Droits de l'Homme, le MRAP, les Comités de soutien aux prisonniers politiques algériens, et tant d'autres associations qui me demandaient de participer à des galas de bienfaisance que je ne refusais jamais.

Cela mettait mes sœurs en rage. Car, bien entendu, en pareil cas, nous renoncions à nos cachets et elles trouvaient ma générosité grotesque. Je devais alors partir en quête d'autres chanteuses, une fois de plus. Le public finissait par être habitué à me voir porter seule le drapeau de mes convictions, avec un roulement d'artistes féminines autour de moi. Mes sœurs en concevaient une fielleuse jalousie, m'accusant de « tirer la couverture à moi », alors que je tirais simplement cette équipe en dislocation permanente, dont j'étais le seul moteur. Leur envie de vedettariat poussait d'ailleurs mes chères sœurettes à dénigrer aussi bien la teneur même du spectacle.

— Ce n'est pas avec des ritournelles sur les femmes et

les émigrés que nous deviendrons des stars ! me lançait méchamment Djamila.

Ces « ritournelles » qui me semblaient plutôt être de jolis poèmes lui avaient pourtant déjà changé la vie fort agréablement. Elle avait découvert un autre milieu que celui de nos HLM, rencontré des gens intéressants. Elle portait de belles toilettes, buvait du champagne, et donnait des autographes. Elle oubliait que le loisir de se comporter aussi librement, c'était moi qui le lui avait offert en m'opposant, au péril de ma vie, au despotisme familial masculin. Elle oubliait que ce qu'elle savait faire sur scène, c'était Hervé et moi qui le lui avions appris. Elle faisait fi de ses origines : elle se voyait déjà... en haut du show-business.

Fatima ne se montrait pas aussi ambitieuse, mais ma manie de prendre à cœur toute la misère du monde, après la misère familiale, lui tapait sur les nerfs et ne l'émouvait pas.

Il résultait de toutes ces dissensions une ambiance tendue assez désagréable. Mais vis-à-vis des journalistes, du public et de nos amis, je faisais comme si de rien n'était, même si ces querelles me minaient de l'intérieur. Je ne parlais à personne de ces difficultés. L'essentiel était que *Djurdjura* demeure et continue de distribuer son message alentour.

« La maison du bonheur »... Je venais de l'acheter, en 1981, avec mes premiers droits d'auteur, les premiers bénéfices de notre société de production, et un prêt bancaire substantiel. Je tenais ma promesse : ma mère pourrait enfin vivre loin des HLM, dans un grand pavillon.

Hervé et moi, de notre côté, commencions d'aménager notre péniche sur la Seine, heureux de ce logement insolite et charmeur.

Le « pavillon », en fait, était une superbe villa de sept pièces avec cave, garage, balcons, jardin, verdure et calme à Lardy, dans l'Essonne.

— Dommage qu'il n'y ait pas de cheminée, dit ma mère.

J'avoue que je fus assez estomaquée par cette forme de remerciement, mais maman semblait malgré tout très contente, optimiste comme je ne l'avais pas vue depuis longtemps.

Djamel et Hakim, mes jeunes frères, viendraient vivre ici avec elle, loin de leurs « bandes » des grands ensembles. Ils pourraient alors sérieusement s'occuper de trouver un emploi, en même temps qu'un certain équilibre.

149

Ce fut juste le contraire qui se produisit. Mes frères s'installèrent un peu plus confortablement dans leur oisiveté, sans changer de fréquentations pour autant. Le plus jeune, Djamel, qui venait d'avoir dix-huit ans, devenait arrogant, violent, jouant au caïd et nous menaçant, ma mère et moi. Il refusait toute proposition de travail, et même les cours de recyclage ou stages professionnels que je lui offrais. Cela devint si infernal que maman et moi prîmes le parti de l'envoyer chez mon frère Amar, marié, qui arriverait peut-être à lui faire entendre raison. Amar renonça vite à cette mission impossible, envoyant à son tour Djamel chez Belaïd dans le Sud-Ouest de la France, lequel finit par l'expédier chez Mohand, à Alger.

Sur ces entrefaites Mohand, qui avait désormais une assez belle situation, décida de faire lui aussi construire une maison pour ma mère, en Kabylie. Je ne sus jamais si c'était là un geste d'amour filial tardif ou une façon de rivaliser avec moi. Ce qui est certain, c'est que dès lors ma mère ne jura plus que par cette nouvelle demeure. Elle voulut tout de suite partir afin de surveiller les travaux. Elle revint en France tous les trois mois d'abord, puis tous les six mois, puis de moins en moins souvent.

Lorsqu'elle arrivait à Lardy, elle me chantait les mérites de son existence algérienne, vantant la générosité de son fils aîné. Ce qu'il venait de lui offrir était plus beau que ce que je lui avais donné en vingt ans, c'est-à-dire la possibilité de vivre, elle et ses enfants. Je réprimais le petit pincement au cœur que provoquait chaque fois sa désinvolte ingratitude, me réjouissant qu'elle soit heureuse entre Paris et Ifigha, rapprochée de Mohand qu'elle avait sans doute aimé plus que nous tous, et en bonne santé.

A partir de ce moment-là, la maison de Lardy, dont je payais les traites et les charges diverses, allait devenir un lieu de passage où chacun s'installerait selon son caprice ou les aléas de son existence. Djamila y était logée depuis le début, ce qui lui faisait l'économie d'un loyer et lui permettait de garder l'intégralité de ses cachets. Hakim se complaisait dans le chômage, et se trouvait donc largement à ma charge. Je continuais de verser de l'argent sur un compte destiné à faire vivre une partie de la famille. Ma mère, pour sa part, téléphonait pour avoir des nouvelles quand elle était en Algérie, me priant par la même occasion de remettre telle ou telle somme à certains de ses amis qui passeraient par Paris, afin de pouvoir rembourser des emprunts qu'elle avait faits sur place. Tout cela, plus la péniche et les frais de la société de production, commençait à grever sérieusement notre budget, à Hervé et à moi. Mais personne ne s'en souciait : encore une fois, c'était naturel.

Tout devait paraître naturel à ma famille, désormais, même les pires chantages. Le 1er avril 1982, Djamel m'appela au téléphone pour m'annoncer qu'il était revenu d'Alger. Je lui répondis que, bien sûr, la maison de Lardy lui était ouverte.

— Evidemment j'irai à la maison ! répondit-il comme si ça allait de soi. Mais là n'est pas le problème. J'ai besoin d'argent. Toi tu es chanteuse, tu en as. Alors tu me prépares cinq millions de centimes en liquide et tu me les apportes à Lardy demain. Je t'attends.

J'ai cru à un poisson d'avril : ce n'était que le début des menaces. Il s'installa en effet dans la maison de l'Essonne, dont il considérait qu'elle lui appartenait, et m'attendit sur le pied de guerre.

— Ou tu vas nous donner cet argent, ou on te fera la peau ! déclara-t-il.

Qui, « nous » ? Qui, « on » ? Etait-il envoyé par Belaïd ? Ou par l'aîné d'Alger, qui nourrissait à mon égard une haine irréversible ? Ou par les deux ? Je ne sais... Je sais seulement qu'Hervé a réussi à me sortir de ce racket grâce à un inspecteur de police et que Djamel prit la porte, regagnant comme par hasard aussitôt le sud-ouest de la France, puis Alger. C'est-à-dire retrouvant Belaïd, puis Mohand, à mon avis complices.

Ma mère, qui se trouvait en Algérie à cette période de l'année, et que j'avais mise au courant par lettre, ne fit aucun reproche à Djamel d'après ce qu'on m'a dit. Son éternelle peur du qu'en-dira-t-on la poussait-elle à étouffer l'affaire ? Etait-elle trop fière d'avoir non plus un, mais deux fils auprès d'elle pour ternir ce bien-être suprême ? Les filles ne comptent pas dans la joie des vieux jours. Elles sont faites pour d'autres foyers, pour avoir à leur tour des fils qui s'occuperont d'elles plus tard. Moi, je n'avais ni foyer « officiel », ni fils. J'étais un être à part, la « honte de la famille » je suppose, mais qui s'occupait quand même de tout le monde.

Mes sœurs, elles, vivaient on ne peut plus librement sans jamais avoir à subir les « punitions » que j'avais endurées, sous prétexte d'avoir refusé d'épouser un Arabe inconnu et de m'être mise en ménage avec un Français. Fatima divorça au début des années 80, quittant son Kabyle pour un Allemand dont elle eut un bébé en 1984. Elle abandonna le groupe à ce moment-là, et je repartis à la chasse aux choristes.

Djamila faisait toujours partie de *Djurdjura*, à l'époque, et elle vivait encore à Lardy. Mais Hakim et elle avaient fait de cet endroit une véritable cour des miracles, recevant n'importe qui dans des boums tapageuses, transformant la villa en discothèque permanente. Tout se dégradait à l'intérieur, et je ne fus pas surprise — vu la faune qui hantait les lieux — d'apprendre un matin que la maison venait d'être cambriolée.

Nous en discutâmes avec ma mère quand elle put constater les dégâts et, d'un commun accord, nous décidâmes de vendre la villa. Je trouverais pour maman un appartement plus petit pour ses séjours en France, de moins en moins nombreux. Je mis donc la maison en vente dans deux agences du coin. Nous étions en 1985. En attendant que nous ayons trouvé un acheteur, Djamila et Hakim resteraient là, après quoi j'essaierais de les mettre en face de leurs responsabilités.

C'est alors que Malha, que nous n'avions pas revue depuis son départ du groupe en 1980, fit sa réapparition après cinq ans de silence. Elle me supplia, me demanda pardon, encore et encore... Elle m'expliqua qu'elle aussi avait quitté son premier mari kabyle et qu'elle vivait maintenant avec un Français qui lui avait rendu son équilibre. Elle ajouta qu'elle se sentait mieux dans sa peau, et qu'elle était bien décidée à repartir de zéro... si j'acceptais de la reprendre au sein de *Djurdjura*.

Ma fibre « maternelle » se laissa une fois de plus amadouer. Et puis les autres me donnaient tant de déboires, l'apparente tendresse de Malha me réconforta quelque peu. Je la mis au courant de ce qui s'était passé depuis toutes ces années : le départ de Fatima, le racket de Djamel, la désinvolture saccageuse d'Hakim et de Djamila, maman vivant en Algérie et me laissant sans scrupules les charges financières, comme toujours : elle pleura sur mon sort, m'assurant que désormais je pourrais compter sur elle.

Il fallut parlementer des heures avec Djamila pour lui faire admettre le retour de sa sœur dans le groupe.

— Après tous les ennuis qu'elle t'a faits, tu veux lui ouvrir tes bras ?

J'expliquai que nous étions sœurs, qu'il fallait savoir pardonner. Djamila haussa les épaules...

J'avais un faible pour Djamila, « ma » petite dernière.

Ne l'avais-je pas langée, bercée, nourrie comme ma fille ? Elle devenait néanmoins de plus en plus odieuse à mon égard. Voulait-elle me faire endurer ce qu'elle ne pouvait plus faire subir à sa mère, partie en Kabylie ? Depuis un certain temps, elle m'appelait « maman »... Je crus au départ que c'était par transfert d'affection. Mais son insistance à me lancer des « maman » à tout bout de champ, si possible en public, me persuada vite du contraire : elle voulait souligner notre différence d'âge, me mettre mal à l'aise. Je lui faisais de l'ombre et cette rivalité lui inspira bientôt des tentatives de séduction auprès d'Hervé que la décence m'empêche de décrire.

Il n'en est pas moins vrai qu'elle avait raison de ne pas croire aux promesses de Malha. Au bout de quelques mois, à la veille d'une émission de télévision très importante, celle-ci nous annonça qu'elle s'envolait pour l'île Maurice... en vacances !

— Le billet m'est offert, c'est une occasion à ne pas manquer. Et je dois partir immédiatement car ensuite je ne pourrai plus voyager : je suis enceinte.

— Drôle de façon de m'annoncer une si bonne nouvelle, répondis-je froidement. Mais je ne vois pas là une raison valable de renoncer à l'émission de télévision. Tu peux remettre ton voyage d'un jour, non ? Et puis tu fais comme tu veux : si tu ne viens pas, je me débrouillerai, comme d'habitude.

Vexée, elle vint quand même sur le plateau, sans adresser la parole à personne, puis partit en vacances et, au retour, revint sur la scène tout sourire, se rabibochant curieusement avec Djamila... pour mieux se mesurer à moi, je n'allais pas tarder à m'en apercevoir.

Un matin, en effet, Djamila me téléphona sur la péniche pour me donner rendez-vous chez Malha, afin que nous « discutions ». Que voulaient-elles encore ? De nouveaux costumes, des cachets plus importants ?

154

A peine étais-je arrivée chez Malha que toutes deux m'annoncèrent leur décision commune de quitter *Djurdjura* sur-le-champ, pour toujours. Djamila m'expliqua sans aménité les raisons de leur décision :

— On en a marre, tu comprends. Et puis on veut te mettre dans la m... Comme ça, tu ne pourras pas continuer ton cirque. Car tes chansons sont nulles, tu es nulle, Hervé est nul. Ce n'est pas avec votre spectacle à la gomme qu'on deviendra des vedettes !

Sur ce, elle me prend au collet et commence à me frapper. Ce bébé que j'avais tenu dans mes bras levait la main sur moi !

Ce fut trop. J'écartai fermement sa main et, avec un calme dont je ne me serais pas crue capable, je leur dis à l'une et à l'autre :

— Vous voulez partir ? Eh bien partez : je vous souhaite bonne chance.

Et je suis sortie, le cœur en loques, les yeux bientôt remplis de larmes, mais en même temps comme soulagée. Cela devait se terminer ainsi. J'en avais assez de les supplier de travailler, d'être exactes à nos rendez-vous, de faire correctement leur métier. D'autres chanteuses existaient, elles m'avaient souvent dépannée, je me débrouillerais avec elles.

Finalement, je repris contact avec une de mes anciennes choristes de remplacement, j'en formai une nouvelle et tout se passa le mieux du monde. L'ambiance était différente, plus détendue, et dix fois plus professionnelle. Les musiciens eux-mêmes se félicitaient de ce changement. Nos répétitions n'étaient plus un pensum, mais une vraie recherche artistique. Comment avais-je pu m'empoisonner des années à vouloir à tout prix travailler en famille, histoire de « lancer » mes sœurs ?

155

D'ailleurs, ma résolution était prise : je ne laisserais plus ma famille grignoter mon existence de quelque manière que ce soit. J'avais trente-six ans passés, il était temps que je m'occupe de moi, d'Hervé, de nous. Il était temps que je puisse avoir un enfant à mon tour, et que je me réserve les moyens de l'élever.

Je fis savoir à mes frères et sœurs que je ne donnerais plus d'argent pour aucun d'entre eux. Ils étaient jeunes, en parfaite santé, ils devaient s'assumer eux-mêmes. Je continuerais de m'occuper financièrement de maman, à condition cependant que chacun d'entre nous contribue au paiement de sa pension. Après tout, nous étions neuf, il n'y avait aucune raison pour que notre mère soit à la charge d'une seule. Je vendrais comme convenu la maison de l'Essonne, dont je ne pouvais plus payer les frais pour qu'on y fît juste la noce. Je donnerais à Hakim et à Djamila le temps de se reloger, mais il faudrait qu'ils s'en aillent tôt ou tard. Après quoi, j'espérais que nous continuerions d'avoir des relations régulières, le fait de ne plus être nourris-logés par mes soins ne les empêchant pas, pensais-je, d'avoir l'esprit de famille.

Ils avaient l'esprit de famille, en effet. Ce fut la mobilisation générale contre l'ennemi commun : moi, bien évidemment.

Ma mère revint d'Algérie aussitôt. Elle qui pourtant avait décidé avec moi de mettre en vente la villa affirmait maintenant qu'il n'en avait jamais été question. Du jour au lendemain, la maison se trouva envahie par tout le monde, frères et sœurs au coude à coude, campant là comme on tient un siège, claquant la porte au nez des agents immobiliers, leur disant que cette demeure ne m'appartenait pas et qu'elle n'était pas à vendre. Les agences se retournèrent contre moi et je dus intenter une action en justice pour rétablir la vérité.

Cette situation dura presque deux ans. Deux ans de menaces à répétition, de coups de téléphone injurieux qui nous réveillaient en pleine nuit, Hervé et moi, sur notre péniche.

Mohand, comme par hasard, décida de revenir en France, lui qui avait passé dix-sept ans à Alger et qui avait là-bas toutes ses occupations professionnelles. Etait-ce pour mieux diriger les opérations ? Pour me rappeler à mes « devoirs » ? Que voulaient-ils, les uns et les autres ? Que je continue de les laisser se loger à mes frais, que j'abandonne *Djurdjura* puisque mes sœurs n'y étaient plus, que je persiste à donner de l'argent, encore de l'argent, comme je l'avais fais depuis l'âge de vingt ans, que dis-je... de quatorze ans ?

Ils voulaient tout cela, plus le reste. Ils voulaient ma ruine, qui d'ailleurs arrivait à grands pas vu les difficultés qu'ils m'avaient créées. Ils voulaient mon échec professionnel et affectif. ILS M'EN VOULAIENT ! Mes sœurs réglaient à mon égard leurs problèmes de jalousie personnelle et d'ambition inassouvie : si elles s'étaient montrées capables de se réaliser pleinement sur le plan professionnel, sans doute auraient-elles été moins vindicatives. Mes frères me reprochaient de ne plus entretenir leur paresse, pour les uns, ou de ne pas me soumettre à leur complexe de supériorité, pour les autres. Mohand, quant à lui, laissait ressurgir sa rancune indélébile. Ne m'avait-il pas prévenue : « Où que tu sois, même dans dix ans ou plus, je te retrouverai et je te tuerai... »

Ma mère se vengeait sur moi, inconsciemment peut-être, des souffrances que lui avait infligées son mari. Et comme ce mari, je l'avais remplacé sur le plan des responsabilités financières et familiales, elle exigeait de moi — et de moi seule — ce qu'on est en droit d'exiger d'un époux : la sécurité matérielle, voire un certain luxe auquel elle aussi avait pris goût. Elle se trouvait donc prête à écouter les suggestions du reste de ses enfants qui, sachant bien qu'elle était mon point faible, allaient la monter contre moi jusqu'au point de non-retour...

Un matin, en effet, elle fit irruption sur le quai où était amarrée notre péniche, brandissant vers moi le manche de son parapluie en hurlant :

— Tu veux m'expulser, tu as viré tes sœurs, tout cela c'est la faute du Français, mais vous allez le payer !

« Le Français » ! Hervé qui avait tant fait pour eux ! Mes autres sœurs avaient désormais le droit de vivre avec qui bon leur semblait, un Allemand ou un autre étranger, hors les liens du mariage au besoin, mais le seul homme qui ait accepté de les aider vraiment, ma mère venait me reprocher sa nationalité, prétendant que « tout » (tout quoi ?) était de sa faute !

Je tentai de calmer cette femme en fureur qui continuait de crier sur le quai. Je lui expliquai que ce sacrifice — le mien — avait assez duré, que moi aussi j'avais ma vie à construire.

Elle me regarda comme si je venais de faire preuve d'une outrecuidance insoutenable. Ma vie ? Avais-je seulement une vie à ses yeux ? Elle tourna les talons en nous jurant que bientôt, cela irait très mal pour nous deux, on allait voir ce qu'on allait voir.

Hervé était blême : jamais il n'aurait cru pareille attitude possible. Il en fut malade plusieurs jours.

Moi, je ne savais plus où j'en étais. Ma mère ! Ce que j'avais de plus cher au monde, aussi menaçante que Mohand, autrefois, à Alger ! Il fallait à tout prix essayer d'arranger les choses, même si j'étais certaine que rien ne serait plus pareil à l'avenir entre elle et moi. Je ne pouvais quand même pas la laisser se faire manipuler ainsi par les autres. Qu'elle ne m'aime pas vraiment, j'en étais intimement persuadée sans avoir jamais voulu me l'avouer, mais qu'à cause d'eux elle se mette à me haïr !

Je pris le prétexte de la fête des Mères pour tenter d'apaiser le conflit. Je lui envoyai une superbe composition de fleurs multicolores, installées dans une coupe avec ces simples mots : « A ma chère maman. » Sans doute comprendrait-elle le message.

Elle le comprit, à sa façon. Je lui prouvais ainsi que je tenais toujours à elle, qu'elle pouvait encore faire pression sur moi, triompher cruellement de ma faiblesse à son égard... Le lendemain, j'ai retrouvé le pot en mille morceaux et les fleurs piétinées sur le trottoir, devant notre vieille grange, siège de notre société. Un symbole...

Cet événement me brisa. Je compris que toute ma vie, à travers les astreintes et les générosités que je m'étais imposées, je n'avais fait que rechercher l'amour maternel. Il fallait maintenant y renoncer : j'étais une orpheline de cœur.

Alors, comme on dit, j'ai « craqué ». Un euphémisme... Le ressort était cassé. Nous avions un disque en préparation, je ne m'en occupais même plus, m'enfermant dans une solitude défaitiste. Je me mis à perdre des kilos et des kilos, alors même que je me découvrais enceinte ! J'essayais de reprendre espoir grâce à ce petit être qui me consolerait de mes malheurs, mais j'étais trop sous le choc, trop épuisée, trop déchirée : je perdis mon bébé.

Cette fausse couche acheva de me faire sombrer dans la dépression. J'avais tout perdu, en amont et en aval : ma mère et mon enfant, mon passé comme mon futur. Alors, à quoi bon lutter pour guérir ?

Je luttais néanmoins, dans mon subconscient. La nuit, je me débattais dans mes cauchemars contre une armée de démons. Le matin, je priais Setsi Fatima de venir à mon secours. Je revoyais la petite Djura, fière, décidée, émule de Kahina la guerrière. On dit que l'enfance est le village natal de l'âme : je puisais dans mes souvenirs d'Ifigha la survie de ma volonté.

Comme lorsque mon père m'avait enfermée, des mois et des mois, à la Courneuve, je me soignais à coups de lecture. Lire m'a toujours aidée à comprendre et admettre les drames de l'existence. Les poèmes de Nazim Hikmet, prisonnier politique tenu au secret pendant quarante ans en Turquie, étaient devenus mon livre de chevet. Je méditais avec amertume ses ultimes messages : « *Dans le crépuscule de mon dernier matin, je verrai mes amis et toi et je n'emporterai sous la terre qu'un chant inachevé.* »

« Mes amis et toi » ? Hervé, d'une vigilance inébranlable, tous nos proches et nos musiciens m'entourèrent d'une chaleur humaine qui aurait eu raison d'un cadavre. Ils m'obligèrent à reprendre les séances d'enregistrement, assise sur un tabouret car je ne tenais pas debout. Grâce à eux, je ne suis pas morte et mon chant n'est pas resté inachevé : mon quatrième disque sortit en novembre 1986.

Dans un sursaut de dignité, je l'avais appelé « *Le Défi* ». Un défi artistique, un défi humain. Un défi à la mort, et à ceux qui voulaient la mienne. Mais un défi souriant, s'opposant à leur violence. Je persistais, signais : je continuais ma route.

Ma famille aussi continuait la sienne, et c'était loin d'être terminé. Le jour de la sortie du disque, elle me retourna son « défi » à elle. Le siège social de notre société — cette vieille grange aménagée qui avait vu naître *Djurdjura* — fut cambriolé par mes frères, l'aîné et le benjamin, Mohand et Djamel, autrement dit celui qui m'avait balafrée, et celui qui m'avait rackettée. Une lettre de Mohand suivit, me promettant de nouvelles persécutions.

De nombreux objets avaient été volés : tapisseries, paravents et autres bibelots. Mais ce n'était pas le plus grave : les papiers administratifs avaient été détruits. Certains jonchaient le sol, en menus morceaux. La comptabilité avait disparu, les photographies, les costumes de scène, les press-books, tout avait été embarqué.

Nous avons porté plainte... Les inspecteurs de police ont récupéré certaines pièces comptables dans la maison de Lardy, au sous-sol. Le reste demeura introuvable... Frères et sœurs et leur génitrice continuaient d'occuper la villa, narguant la police et la gendarmerie auxquelles ils déclarèrent :

— Nous réglerons cette affaire à l'algérienne.

Policiers et gendarmes ne savaient pas, je pense, ce que cela pouvait signifier. Ni Hervé ni moi-même, d'ailleurs, n'aurions pu imaginer une minute jusqu'où irait ce règlement de comptes.

Quelles que soient les menaces plus ou moins clairement exprimées qui pesaient sur nous, j'avais décidé de ne plus céder au chantage. La coalition familiale m'avait enfin ouvert les yeux. Ma vie entière j'avais été dépendante de l'affection que je portais aux miens : le fol acharnement qu'ils mettaient à me persécuter me délivrait soudain de cette dépendance. Maintenant, il fallait être forte, reconstruire, me refaire une famille, ma famille future : Hervé plus un enfant, si Dieu voulait bien m'en donner un autre. Je n'étais animée d'aucun esprit de vengeance. Je voulais oublier, et surtout qu'on m'oublie.

Seulement on ne m'oubliait pas : j'avais des sauvages tout autour de moi. Ils rôdaient aux environs de la péniche pour nous montrer qu'ils étaient toujours là, tantôt un frère, tantôt une sœur. Ils téléphonaient — ma mère comme les autres —, menaçaient, ricanaient, raccrochaient brutalement. Ils nous menaient une véritable guerre des nerfs. Je n'osais plus sortir, j'étais terrorisée.

Nous avions prévenu la police, mais celle-ci nous avait dit qu'elle ne pouvait rien faire tant qu'il n'y aurait pas d'agression « véritable ». Une agression physique. La torture morale dont nous étions l'objet n'était pas du ressort des agents de la sécurité

Dans un pareil climat, mon inspiration avait bien du mal à survivre. Si j'avais écrit tant de chants dénonçant la violence, le fanatisme, le despotisme des hommes de nos pays, c'était dans le but de faire cesser leurs pratiques abominables. Or voilà que je les subissais encore, ces pratiques, plus terriblement peut-être que dans mon adolescence, comme si mes mots, mes cris, n'avaient servi à rien. Le moyen, maintenant, d'offrir aux autres l'espoir d'une amélioration possible de ces coutumes barbares? Où allais-je retrouver la fraîcheur opiniâtre, l'optimisme qui, par-delà mes critiques, animaient mes poèmes?

La réponse à cette question arriva quelque mois plus tard, quand j'appris que j'attendais à nouveau un enfant. C'était au début de 1987, la plus belle promesse d'une « bonne année »... Je me sentis aussitôt de taille à reprendre l'écriture, les spectacles, les télévisions, les causes humanitaires, la cause féminine. La joie était revenue à la maison, et tant pis pour les coups de fil anonymes et autres avertissements!

Le 3 avril, pour mes trente-huit ans, je fus comblée de cadeaux et de fleurs. Tous mes amis me témoignaient ainsi leur affection, et leur tendre sympathie pour la future naissance, prévue pour le mois de septembre.

L'après-midi même de cette fête, j'apprenais la mort de mon père, que j'avais quitté dix-sept ans plus tôt, à la gare du Nord... Qu'il ait rendu l'âme à la veille de mon anniversaire me troubla étrangement, et le fait de ne pas l'avoir revu de son vivant me désola. Il restait en moi quelque chose de la tradition : j'aurais voulu qu'on se retrouve à la veille de son grand départ et qu'on se donne un pardon mutuel. Cela se faisait, chez nous, et c'était bien. Car au fond, si mon père, dans sa brutale intransigeance, avait saccagé ma jeunesse, sans doute avait-il été malheureux, de son côté, à cause de moi, même si c'était la faute d'idées parfaitement rétrogrades.

J'allais donc vivre sans ce pardon, mais je lui donnerais le mien devant sa dépouille mortelle. Or il s'en fallut de peu pour que je ne puisse même pas le voir mort...

J'avais été avertie de son trépas par des personnes étrangères à ma famille qui m'avaient expliqué du même coup que papa se trouvait en France depuis un certain temps, à l'hôpital. Ma mère, mes frères et mes sœurs avaient été mis au courant de son décès, bien que mon père ait cessé presque toute relation avec eux depuis son remariage. Mais les uns et les autres avaient décidé de ne pas me prévenir.

Quand ils surent qu'on m'avait annoncé l'événement, ils voulurent m'interdire l'accès à la morgue, menaces à l'appui. Néanmoins, comme ils ne pouvaient pas faire en permanence le siège de l'Institut Médico-légal, je réussis à y entrer, Hervé faisant le guet pour s'assurer qu'aucun des miens ne se trouvait dans les parages. Une amie m'accompagnait, pour me réconforter.

Et je vis mon père... Il était là, derrière la vitre, tout gris, les traits crispés par ses dernières souffrances. Je dis à mon amie :

— Tu vois, même encore maintenant, il me fait peur. J'ai peur qu'il se lève et qu'il vienne me frapper.

Puis je me mis à pleurer devant ce pauvre homme que je ne pourrais pas suivre jusqu'à sa dernière demeure : il était trop dangereux pour moi d'aller à l'enterrement. Je dis « Adieu papa, adieu papa, adieu papa », soixante-deux fois, une pour chaque année de cette vie qui fut la sienne et qui ne l'avait sans doute pas satisfait, si l'on en juge par son désespoir alcoolique et la violence qui l'habitait.

Mais je ne voulais plus repenser à toute cette misère. Je lui accordai mon pardon, je demandai le sien dans l'au-delà, je dis encore : « Paix à ton âme, papa »...

Et je repartis sur notre péniche, vers la vie que je portais en moi.

***

« Djura attend un enfant ! »... La nouvelle, dans la famille, fit sûrement l'effet d'une bombe. Ils ont dû l'apprendre d'une manière ou d'une autre. Je faisais encore des spectacles, enceinte de quatre, cinq, puis six mois. Mon état se voyait, tout le monde était au courant.

Cette future naissance, à coup sûr, fut le détonateur de leur ultime démence : je leur échappais totalement, ils ne pourraient plus me récupérer, j'aimerais et je donnerais ailleurs.

Ils continuèrent leurs séances d'intimidation en avril et en mai, au téléphone, dans la rue, sur le quai. Des serpents venimeux. Des serpents que j'avais nourris, tant aimés... Des conjurés qui se détestaient pourtant mutuellement, médisaient les uns des autres, se fâchaient, s'insultaient, mais qui savaient ressouder la tribu dès qu'il s'agissait de défendre leur patrimoine, de reprendre possession de leur gagne-pain : moi.

Dans cette vendetta monstrueuse, Hervé tenait le rôle du bouc émissaire. D'après eux, c'était lui qui m'avait détournée du « droit chemin », qui m'avait décidée à ne plus les entretenir, ce qui était absolument faux. « C'était lui qui avait le fond de commerce », diront-ils plus tard au procès.

Quoi qu'il en soit, mon compagnon et moi refusant désormais de nous ruiner pour eux, et osant réserver nos largesses à un futur enfant, nous allions « le payer », comme avait dit ma mère. Nous demeurions sur le qui-vive, nous attendant à de nouveaux cambriolages, à d'autres tentatives de racket, à je ne sais quelle mise à sac de notre société ou de notre logement, mais certainement pas à ce qui devait arriver le 29 juin.

Une abomination... Une expédition punitive décidée par le clan, les envoyés du clan étant mon frère Djamel et ma nièce Sabine.

Je n'avais jamais revu Sabine — la fille de Mohand — depuis que celui-ci me l'avait donnée à garder dans mon studio-prison d'Hussen Dey. C'est quand Djamel, revolver au point, l'avait appelée dans l'escalier de la péniche que j'ai su qu'il s'agissait d'elle. Sabine ! Encore un nourrisson que j'avais langé, comme Djamel qui venait de l'entraîner dans cette opération vengeresse.

J'ai su plus tard que ces deux-là se voyaient souvent, Sabine vivant à Paris depuis quelque temps déjà. Ils fréquentaient les mêmes groupes de copains à hauts risques, fumaient, montaient des « coups » plus ou moins scabreux.

Et voilà maintenant que je gisais sur mon lit d'hôpital, revivant l'horreur de leur toute dernière exaction. J'avais beau essayer de chasser de ma tête cet affreux souvenir, je revoyais Djamel faire irruption chez nous, braquer son revolver sur mon ventre, puis matraquer Hervé. J'entendais le bruit du coup de feu, là-haut, et la vision de mon compagnon blessé, ensanglanté, me hantait. Je sentais encore dans ma chair les coups de pieds de ma nièce qui visait aussi mon bébé.

Aussitôt, je pensais à ce petit être qu'ils n'avaient pas réussi à faire périr, mais qui se trouvait encore en danger. Alors, je respirais profondément, je me calmais, je rassemblais mon courage... Je regardais Hervé, penché sur moi, pâle à faire peur, victime d'un traumatisme crânien, recousu à la tempe et au nez, obligé de porter une minerve...

Et je ne pouvais pas comprendre par quelle mansuétude on avait relâché les deux agresseurs ! Car ils avaient été pris sur le fait... par un hasard extraordinaire.

Dans la chaleur torride de cet après-midi de juin, les environs de la péniche étaient déserts. Enfin, presque... En effet, après que Djamel eût tiré sur Hervé, un témoin l'avait vu s'enfuir, suivi de ma nièce. Et quel témoin ! Un inspecteur de police en civil, qui se promenait, solitaire, sur le quai.

Un envoyé du ciel, quand on y pense. Car enfin, j'avais certes moi-même appelé Police-Secours, mais le temps que le car arrive, les deux coupables auraient été loin et je n'aurais jamais pu prouver qui étaient nos agresseurs. L'inspecteur en promenade, lui, apercevant ces deux fuyards couverts de sang, était parti à leur poursuite. Il n'avait pas réussi à maîtriser Djamel, mon frère lui ayant filé d'entre les mains en le menaçant de son arme, mais il l'avait vu. En outre, cet inspecteur avait pu arrêter Sabine, et lui avait passé les menottes.

Djamel, devinant que tôt ou tard Sabine le dénoncerait et suivant aussi — je suppose — les conseils du reste de la famille, se présenta lui-même au commissariat, certain que ce « repentir » jouerait en sa faveur. Résultat : après une nuit d'interrogatoire, les deux complices se retrouvèrent provisoirement libres, en attendant le jugement du Tribunal.

Ils s'empressèrent de nous téléphoner :

— Nous sommes dehors ! La justice est du bon côté : à bientôt !

Allaient-ils pouvoir faire *ad vitam* leur loi impunément ? Il n'y avait pas eu mort d'homme, soit : mais on avait quand même violemment frappé Hervé à la tête, on l'avait blessé gravement, on m'avait rouée de coups, et mon enfant ne survivrait peut-être pas à cette rage destructrice. Le tribunal allait-il considérer cet « incident » comme une « simple » histoire de famille ? Au reste, la justice fonctionne au ralenti, surtout en été : le temps qu'elle rende son verdict, ces fous furieux me laisseraient-ils en paix ?

Hervé me suppliait de ne pas me perdre ainsi en conjectures. De penser à notre petit. Mais je restai longtemps sous le choc. Le moindre coup de tonnerre, un bruit de voiture, une pétarade de moto me faisaient sursauter...

Aussitôt que ce fut possible, Hervé m'emmena loin de Paris dans un endroit tenu secret vis-à-vis de tout le monde, et me veilla jusqu'à l'accouchement. Mais, entre-temps, il insista pour que nous nous mariions. Jusqu'ici, nous disions tous les deux en riant que nous étions prisonniers l'un de l'autre « sur parole ». Mais les temps avaient changé.

— Imagine, me dit-il, que Djamel m'ait tué. Notre enfant serait né de père inconnu et ta famille, d'une manière ou d'une autre, l'aurait récupéré. Nous ne pouvons plus courir ce risque.

Voilà comment, un beau matin, nous avons pris le chemin de la mairie, avant de retourner, prudents, dans notre tanière secrète. Hervé ne me quittait pas. Il tentait de m'apaiser, souriait obstinément, prenait sa guitare et me chantait des chansons de Brassens : « *Tire la belle, tire le rideau sur tes misères de tantôt. Et qu'au dehors il pleuve, il vente : le mauvais temps n'est plus ton lot.* »

Le 4 septembre 1987, il fit très beau, en effet : mon fils venait de naître. Pendant plusieurs mois, je me suis extasiée comme toutes les mamans du monde sur sa beauté exceptionnelle et sa remarquable intelligence au berceau !

169

Puis il fallut bien refaire surface. On n'allait pas rester terrés comme ça, anonymes et désœuvrés, à contempler notre dernière création. Il fallait reprogrammer des concerts, reprendre une vie « normale », si l'on peut employer cet adjectif quand on se sent constamment en danger.

Nous regagnâmes donc la péniche, sachant bien que « les autres » existaient toujours... Cependant, chez mon mari comme chez moi, la terreur avait fait place à l'instinct de défense. La police nous avait dit : « On est de tout cœur avec vous, mais on ne peut pas vous protéger vingt-quatre heures sur vingt-quatre ». Qu'à cela ne tienne, il devait bien y avoir d'autres moyens de protection. On nous conseilla de prendre des gardes du corps, de demander un port d'arme, de... Hervé opta, à mon avis, pour un ensemble de précautions optimales, que je taierai pour des raisons évidentes, n'ayant aucune envie de dévoiler nos atouts à nos ennemis forcenés.

Entre-temps, Djamel avait été condamné à dix-huit mois de prison et Sabine à six. Ils firent appel et la peine fut réduite pour mon frère à dix mois de prison ferme et deux ans de mise à l'épreuve, plus une amende de cent mille francs, payable à raison de... cinq cents francs par mois. Sabine, elle, joua si bien la comédie larmoyante de la petite jeune fille « entraînée malgré elle » qu'elle s'en tira avec une amende de dix mille francs, mais sans avoir à faire ses six mois de prison, le sursis lui ayant été accordé.

C'était peu pour une telle violence mais ce procès présenta quand même un certain avantage : vu le déballage qui avait eu lieu concernant les intentions du « clan », la justice aurait désormais ma famille à l'œil et, en cas de récidive, frapperait plus durement. Mes pourchasseurs le comprirent : il n'y eut pas de nouvelle agression.

Mais cela ne les empêcha nullement de se déchaîner d'une autre manière, c'est-à-dire de... nous traîner en justice sous les prétextes les plus abracadabrants ! Moi qui n'avais jamais mis les pieds dans un tribunal avant « l'affaire » de Sabine et de Djamel, je fus servie ! Les procès éclatèrent tous azimuts. Ma mère, mes frères, mes sœurs réclamaient de l'argent, des pensions, des suppléments de cachet. Ils entendaient de surcroît m'interdire de chanter, tout en réclamant des droits d'auteur sur mes musiques et sur mes textes, qu'ils prétendaient avoir écrits. Ils étaient tous devenus auteurs-compositeurs ! Même Djamel, qui affirmait avoir fait mes chansons depuis le début de *Djurdjura,* alors qu'il avait à l'époque treize ans !

Mes sœurs m'attaquèrent aux prud'hommes, toujours obnubilées par l'idée que j'étais leur employeur. Ma mère, perdue dans les contradictions de sa hargne, jurait elle aussi avoir composé mes poèmes. Puis elle m'attaqua pour « signatures en faux », sous prétexte que j'avais signé des papiers à sa place. Evidemment, j'avais signé des papiers à sa place ! Et ce, depuis l'âge de douze ans, à la Sécurité sociale, aux Allocations familiales, dans toutes les instances administratives, puisqu'elle ne pouvait le faire elle-même, étant analphabète.

Certains de ces procès ne sont pas encore terminés. Ceux qui le sont furent gagnés par moi, et j'obtins en outre la possibilité de récupérer la maison de Lardy.

Seulement, que de temps et d'énergie perdus, que de souffrance attisée à chaque confrontation ! Je voulais que cela cesse. Je refusais de conjuguer mon présent au passé compliqué, maintenant qu'un petit garçon, près de moi, souriait à l'avenir. Mais le moyen d'effacer mes tourments ?

*
* *

A défaut de pouvoir partir me ressourcer à Ifigha puisque j'étais interdite d'Algérie, c'est au château de Calan, en Bretagne, que je suis allée réfléchir. Dans ce monument oriental rebaptisé Keer Moor — la villa de la mer —, j'ai repensé à Setsi Fatima qui m'appelait sa « rose de lumière » ou « Joujou la tendresse ». Allais-je me laisser envahir par les ténèbres de mes souvenirs tragiques et perdre ma faculté d'aimer ?

Je revoyais aussi Tahar, le marabout que nous étions allées voir, ma grand-mère et moi, et qui m'avait offert un brin de menthe en disant : « tu seras lumineuse, Djura ! »

A tous deux, je demandai de me rendre la lumière, de provoquer le miracle qui extirperait de mon âme le mal qui la rongeait.

Car il s'agissait bien de mal : la douleur était en moi, comme un poison. Je ne voulais pas qu'elle se transforme en amertume, en désir de me venger de ceux qui m'avaient si férocement harcelée. Je voulais qu'elle sorte, cette douleur, qu'elle s'exprime une bonne fois et que je m'en trouve débarrassée.

Setsi Fatima et le vieux sage ont sans doute décidé de m'inspirer la solution libératrice : confier à ma plume mes émotions, mes pleurs, mes luttes, mais aussi le monde fantastique de légende et d'Histoire d'où je viens.

Je ne souhaitais en aucun cas régler mes comptes, à mon tour, avec les miens. J'ai donc écrit ma vie à plat, sans diatribes revanchardes, démystifiant au fil des pages ceux qui furent mes chefs, mes tortionnaires, mes géants, mais dont je refusais qu'ils deviennent mes fantômes. Je balayais la rancune et le chagrin, sans plus vouloir penser à l'ingratitude quasi criminelle dont j'avais été la victime. « Fais le bien et oublie-le », dit le proverbe arabe. J'ai oublié en écrivant.

Je continue d'aimer ma mère, même si cet amour ne doit jamais m'être donné en retour de sa part. Et si quelqu'un lui lit ces pages, je voudrais qu'elle sache que c'est aussi pour elle, entre autres, que j'ai mis à nu ce cœur-sanglot.

Pour toi, maman, et pour tes semblables qui se virent mariées de force, obligées de subir les colères brutales de leurs compagnons rompus aux sévices ancestraux, mais qui leur imposaient cependant leur désir « naturel ». Pour toutes les Norah, Zohra, Fatima, qui furent reniées ou tuées quand elles ont pris la fuite. Pour les jeunes filles élevées en France mais arrivées à l'âge du mariage, qu'on a fait revenir au pays en prétendues vacances alors qu'on voulait simplement leur faire épouser l'homme du choix familial et qui ne pourront plus repartir, parce qu'on a confisqué leurs papiers.

Pour les immigrées qui viennent à la fin de mes spectacles me confier leurs malheurs, ou leurs drames. Celles-ci connaissent souvent une double déchirure. D'une part, elles subissent les affres du racisme ambiant qui amalgame xénophobie et délinquance, alors que les délinquants ne sont pas toujours, tant s'en faut, les gens venus d'ailleurs. D'autre part, il leur faut se mesurer, plus fréquemment qu'on ne le croit, aux obligations d'une tradition obtuse qui divise jusqu'aux muses des poètes arabes. L'un dit : « Soulève ton voile, lacère-le et enfouis-le dans la tombe »; l'autre s'exclame : « Par Dieu, je récuse le progrès qui veut dévoiler le visage chaste des femmes », comme si la chasteté ne tenait qu'à un bout de tissu. La chasteté, la fidélité aussi bien, obéissent à des maîtres autrement astreignants : elles relèvent de l'éthique et de l'amour. Nos amis masculins le savent-ils ?

Je caresse en effet l'espoir bien téméraire que certains

hommes de ma race, de ma religion et de mon pays liront ces lignes sans crier à la subversion, au dévergondage, ou à l'inimitié des femmes. Nous ne les haïssons point, nous ne voulons pas les trahir. Mais qu'ils sachent, s'ils veulent être chéris et choyés comme ils le souhaitent, qu'il convient de nous laisser d'abord notre libre arbitre dans notre vie sociale, professionnelle et affective.

Je fais aussi le vœu que mon Algérie natale, après avoir lutté pour son indépendance, progresse dans la voie de la démocratie. Alors j'aurai la joie d'y revenir chanter ma préoccupation première : *Tilleli,* ce mot qui résonne dans mon cœur comme un envol d'oiseau, tilleli, la liberté ! La liberté de dire et de confronter ses opinions, la liberté de se lier d'amitié ou d'amour avec ce qu'on appelle un étranger. Etranger d'état civil, voire de religion : que chacun exerce ou non le culte de son choix, sans pour autant bannir de son univers ceux qui ne partagent pas ses imparfaites certitudes.

Cette folle espérance d'harmonie, je continuerai de la chanter pour la génération de mon fils. Ce livre n'est certes qu'un minuscule pavé d'un édifice on ne peut plus fragile, mais j'espère que le témoignage qu'il apporte — parmi d'autres — aidera les enfants qui ont l'âge de mon petit garçon, les enfants nés en France ou ailleurs, de culture unique ou de pluriculture, à ne pas cultiver la dangereuse peur de l'Autre. Car c'est cela qui engendre la haine : la peur de la différence, cette source d'enrichissement qui terrifie encore tellement d'êtres humains qu'elle les empêche d'essayer de se comprendre, donc de s'aimer, ou pour le moins de vivre sans heurts.

Mon fils se prénomme Riwan. En Berbérie, cela veut dire « enfant de la musique ». Dans la Bretagne d'Arthur et de la Table Ronde, cela signifie « le roi qui avance ». Riwan est un Berbère-Breton.

*Cet ouvrage a été composé
par l'Imprimerie BUSSIÈRE
et imprimé sur presse CAMERON
dans les ateliers de la S.E.P.C.
à Saint-Amand-Montrond (Cher)
en juillet 1990*

49-76-0619-04

ISBN : 2-863-91365-4

N° d'édit. : 7628. N° d'imp. : 1542.
Dépôt légal : juillet 1990.

Imprimé en France

49-0619-4